SŁAWOMIR SHUTY

JASZCZUR

Sławomir Shuty

Jaszczur

Korporacja Ha!art | Kraków 2012

SŁAWOMIR SHUTY, *JASZCZUR*, KRAKÓW 2012

Wydanie I
Printed in Poland

ISBN 978-83-62574-65-0

PROJEKT OKŁADKI | Balbina Bruszewska
REDAKTOR SERII | Piotr Marecki
REDAKCJA I KOREKTA | Tomasz Charnas, Marcin Piątek
PROJEKT TYPOGRAFICZNY, SKŁAD | Małgorzata Chyc

WYDAWNICTWO I KSIĘGARNIA
Korporacja Ha!art
pl. Szczepański 3a, 31-011 Kraków
tel. +48 (12) 4228198, 606 303 850
mail: korporacja@ha.art.pl
http://www.ha.art.pl/

DRUK
PW Stabil
ul. Nabielaka 16, 31-410 Kraków

Ninie

Na początku

pociąg do poznania, ale wcześniej skręt, w jakim kierunku trudno wyznać, dość, że wagon pusty, żywej duszy, gdzieś tam ktoś z przodu wisi na oknie, pani wypatruje szczęścia, skanuję zarys, łydka, udka, tyłek, wyżej, ale w efekcie nic ciekawego, ugór, zaprzepaszczone szanse, smutek na końcu drogi, aktualnie za oknem peron, wieża w porannym smogu, w plastrze asfaltu galaktyka plwocin, świetlne refleksy na reklamie burgerów, w tle huk jak strzał startera, czarne ptaki wzlatują w powietrze, słońce przysłonięte cieniem, przed lądowaniem na peronie gody jak zwiastowanie ewangelii, loguję się w środku, miejscówka przy oknie.

Zawieszone nad fotelem lustro zachodzi rdzawą śniedzią, poddaje face inspekcji i bez entuzjazmu, włos zmięty, odkształcony, sterczy jak chwast, styl pijany leszcz, przygładzam, nie daje się ułożyć, spluwam w dłoń jak murarz przed szychtą, kleiste pęcherze powietrza między palcami, rozcieram, prasuję, wreszcie się kładzie, ale to jest do przerobienia później, tak się ludziom nie można ujawnić, image zaspany burak, choć łachy trzymają styl, wytarte bordowe M 65, Jasiu Pratera w drodze na wyręb, choć lepsze, zaktualizowane wydanie, szczypta abnegacji, o tak, tak jest dobrze, to ja, ja.

Co cię czeka po drugiej stronie człowieku?, w różnych sytuacjach bywałeś, ale zawsze ten specyficzny klimacik, powitalny chleb, ruskie pierogi i szampan, szereg niespodziewanych atrakcji, potem się z tym wiążą różne komplikacje, to jest lepka pajęczyna pułapek, tak zwana maja, choć czasem śmieszne smutnego finały, ale to nie moment grzebać w przeszłości – drgnęło, ruszamy, popadam w letarg, głowa opada, ślina się toczy.

Bileter jak duch już na następnej stacji, ale gdzie ona, następna stacja?
To już jesteśmy tu, pan prawie pół drogi przespał, niska, tęga kobieta w granatowym uniformie, przyklejony uśmiech, oczy jak śliwki węgierki w pulchnym drożdżowym cieście.
Już tu jesteśmy?, mówię.
Tak, tak, mówi i przechodzi na służbowy, poproszę o bilecik, za jej plecami kolega w mundurze, dobrze sformatowana twarz, do wzięcia w rekonstrukcjach z miejsca zbrodni.
Wyciągam wymięty blankiet, ona stempluje i życzy miłej podróży, silę się na uśmiech, ale raczej to idzie w krzywizny, czyli wczorajszość, chemia lekki szwank, w czaszce złe wibracje jak żółć i już nie mogę spać.

Za oknem ładny skwer, pieszczoty kucają, obok kobiety z woreczkami, futra, high heels, przepych i nonszalancja, z butą wchodzą do czarnych fur, by ruszyć i zaparkować za rogiem, kwartał gargantuicznych apartamentowców, wszystko spod igły, na billboardach kremy, na plakatach zupy, na ścianach murale, w błękitnych jak niebo, błyszczących słońcem taflach odbija się przyklejona do okna twarz, nicuję luksus, ale to spojrzenie przez lód w głębię skutego mrozem jeziora, jakiś kształt zamajaczy, ciemne wężowate cielsko, szczęki szarżującego lewiatana, to raczej pokój z masywnym biurkiem, na drewnianym blacie brązy, wzbijający się w powietrze orzeł, szeroko rozpostarte skrzydła, dalej w oknach ciężkie welwetowe zasłony, na balkonach wózki, parasolki, kobieta pali, trzymając pod pachą niemowlę, człowieczek wierzga odnóżami jak obrócony na grzbiet karaluch, jedziemy.

Akcja rozwija się na różnych poziomach i wszystko chodzi jak w zegarku, jest dół i góra, każdy stoi według potrzeb, a więc sprawiedliwość dziejowa, sprawnie działająca demokracja, mistrzowska precyzja, ulica rozkwita manifą, tęcza transparentów i chorągwi, i to się przekształca w love parade, święto totalne, pały patrzą na wszystko przez palce, wolność, równość, czyste ręce, pośladki aktywistek, b-boye kręcą się jak bączki, ludzie na szczudłach dają po jajach, klasa pracująca przy stoiskach z napojami i klasa spacerująca, w tłumie przebrani za spienione kufle, są też wielkie telefony i inne misie, kaczusie, nawet promocja energizerów, panienki rzucają próbkami w tłum, witryny połyskują diamentami, gdzieniegdzie sztuczna biżuteria, sex bielizna, wata cukrowa, ponadto lody, tarasy, loże, kawiarnie, knajpeczki, na dachach angielskie ogrody, francuskie pieski, chińczycy strzelają foty, bo show zmierza do środka, w sercu góra odpadów z pracowni jubilerskiej, na szczycie w srebrnym hamaku owoc i zwieńczenie, golden boy.

Szopka futura, bożenarodzenie świata możliwego!, i to brzmi jak zastrzyk autentycznego natchnienia, wyszarpuję z łachów kawałek kartki, ale nie ma nic, by zapisać, wreszcie jest, komasuję gorące wspomnienia, ptaki kołują nad głową, skład rusza, ekskluzywna dzielnica obraca się wokół osi jak słonecznik szukający słońca, ekojasełka czy może karnawał, na szczycie tortu nagroda akademii, tu długopis finiszuje, a to, co zostało przelane, przypomina zwykły gniot, wypieprzam ten krwotok do śmieci.

Czyli to jest koniec natchnienia, w czaszce nic poza okręgiem kołujących ptaków i jak za dotknięciem czarodziejskiej różdżki znów podła chemia, zmęczenie wgniata w fotel, na szczęście pani proponuje kawę i ciasteczko w cenie biletu, aplikuję podwójne mleczko, sączę, chemia się nawet podnosi, choć niewiele z tego wynika człowiekowi, gdybyś miał wiarę wielkości ziarna piasku, to powiedziałbyś temu wagonowi, przenieś się w inne miejsce i on by to zrobił, stworzenie bestsellera za pomocą myśli to przy tym betka, to jest stara jogiczna metoda koncentracji znana też jako metoda *stoliczku nakryj się..*, tak że człowiekowi chill.

Na własne życzenie tracę kontakt z myślami, to chyba letarg, lecę na mordę jak pchnięty do króliczej nory, to dom, ściana, łóżko, nie mogę spać, na tapecie konspekt nowego tekstu, plątanina szybko i byle jak stawianych znaków nijak nie chce się ułożyć w myśl, raczej kłaki, a nie pukle anielskich włosów.

Jak tu, mówię, jakoś to zrobić, żeby już kompletnie nie było wiadomo, o co chodzi?

To jest kompletna awangarda, mówię, jeszcze na razie nie wiadomo, o czym to jest, ale warto mieć na uwadze, żeby nie podawać wszystkiego na tacy, bo wszystko wszystkim za łatwo przychodzi, ludzie przywykli do papki i kreślę wykres w kształcie labiryntu, ta postać wejdzie wtedy, tego się z tą sparuje, to się wykręci tak, że jezus maryja, no i koniecznie trzy alternatywne końce, to się potem zwiąże w kokardę jak wstęgę Möbiusa.

Z pozoru niezłe, ale nagle to się nie trzyma kupy, usuwam do kosza, przywracam, robię kopię, oryginał do kosza i staję twarzą w twarz ze stroną, która jest martwa jak cisza absolutna, więc tym bardziej drażniącym staje się dźwięk, tupot białych mew, zapalam górne światło, cisza, ale ledwie gaszę, to szamotanina i drobne kroczki, więc nie palę, zostaję przy świetle lampki, czekam, mordka wysuwa się spod szafy, ładne kwiatki, szczur w mojej jamie, nie wszystkie stworzone przez boga kreatury są mi braćmi, łapię coś w dłoń, butelka rozpryskuje się w mak, a ten nic, czekam drugiej szansy, nie wychyla się, faszeruję kiełbasianego flaka lorafenem, nawet gaszę lampkę, pokój oświetlony bladą poświatą komórki, i dopiero po chwili łasi się na przynętę, żre w ciemnościach, kilkanaście minut i dobra nasza, wychodzi na środek pokoju jak na zrywce, oślepiam żarówką, stoi, w ręce od razu drewniana pała, ruszam, ale wciąż o włos szybszy, wpada pod tapczan, tu cię suko mam, podnoszę, ucieka bokiem, puszczam, plask!, jest!, przytrzaśnięty!, na wszelki wypadek kilka razy pałą, znów błoga martwota ciszy.

Tapczan uniesiony odsłania skarby, tu sobie gniazdo uwił, w szufladzie na pościel, naznosił dziadostwa, papierzyska, notatki, pomysły, zdjęcia, kolaże, grafiki, pieniądze, ubrania, rodzinne pamiątki, muszelki, wszystko co najcenniejsze, umościł się jak król, ale przyszła kryska, rewolucja wywraca porządek rzeczy, truchło rzucam przez okno, ląduje na chodniku z plaśnięciem, co wybija z rytmu jak policzek.

Tak toto, tak toto, tak toto, stuk-puk, zielony prąd wprawił to w ruch, oczy szeroko otwarte, coś musiało się ulać, bo plamy na piersiach, dwie mokre kapki, w oczach siedzącej naprzeciw czytelny przekaz, że taki daleko nie zajdzie, tak że nie mam co na to liczyć, obcieram usta, owszem, zaślinione, żółte skorupy w kącikach, brzydzę się samym sobą, w przedziale poza tą naprzeciw jeszcze inni, w łapach tablety, smartfony, kamery, wszyscy mundurki, buty ze skóry, szyk, miesięczniki na kredzie, nie ma tu prowincji, a może to sekta, znów zaczyna morzyć, nie daję rady, głowa opada jak na szafocie, lecz nagle – PIP--PIP!, pobudka, coś przyszło, sięgam do spodni.

no i jak się bawisz?
dobrze, piszę i: **mam nadzieję że ty tez**
gdzie jesteś?
a gdzie mam być
gdzie

w POCiągu
Gdzie????
gdzie gdzie gdzie mam dziś spotkanie
Dlaczego nie mówiłeś!!
Moglas zapytac
Mogel powiedziec mi
Nie było cie gdzie bylas
A gdzie miałam być
gdzie bylas wcxozaj

Dialog się wiesza, czekam, za oknem anonse bielizny i strip clubów, cycki wbijają się w mózg jak korona cierniowa, struna naciągnięta do granic, nerw puszcza: **Gdzie kurwa byłaś?**, ale wiem, znam to, stoimy w punkcie, zero absolutne relacji, wciąż ta sama akcja, drażnienie otwartej rany, w przerwach przeciąganie liny, ciśnienie skacze jak desperat z dziesięciopiętrowca, wychodzę do restauracyjnego czymś to ogłuszyć, ale wpół kroku staję, spoglądam w okno, po prostu prostuję kości, nie mogę na boga dojechać na miejsce strzelony.

To się wszystko przekłada na sos, a buła potrzebna jak tlen, schabowy bez panierki już nie chce przejść przez gardło, a panierka, to jest właśnie to, co robi cenę, ten dodatek, opakowanie, chcesz żreć panierkę, graj do kotleta, ale przecież z tym nie ma problemu, człowieku, co?, mówię do siebie w myślach i przeliczam sos, ile go zalega na rachunku, dwa, trzy, dwa trzy sześćdziesiąt, gubię się w obliczeniach, bo oto mrok wizji, spotkanie, ja ledwo na nogach, kran z sosem domknięty na amen, ataman miejscowego domu kultury, sztuki, dziedzictwa narodowego, klubu szachowego, towarzystwa kajakowego i fundacji więcej hajsu dla nas nie może patrzeć na profanację świętości – *jak tak można bluzgać ludziom w twarz, świecić chamstwem, pustką i beznadzieją?!*

Ale to nie jest chamstwo, tłumaczę, to wyraz najwyższego uznania, otóż widzi pan, nasze pokolenie wychowało się na pewnych uwarunkowanych okolicznościami mitach, zaś plunięcie w twarz uznawało za najwyższy rodzaj uznania, a nawet uwielbienia, zatem stan, w jakim przychodzi panu mnie oglądać, to nic próba zhańbienia miejscowej publiki, ale genetyczny kod, informacja, która zapisała się głęboko wewnątrz i daje o sobie znać, realizując się w stylu bycia, żądam tym samym uszanowania wyznawanej przeze mnie tradycji, czyli prawa do spożycia!, czego on nie kupuje i zostaję publicznie powieszony za jaja.

Zachowujesz się jak pizda człowieku, dlaczego od razu mieliby cię wieszać?, przecież to jest styl pijany mistrz, szeroko ceniony na wschodzie, więc przestań zachowywać się jak cipa i puść cugle, bo jesteś wolny jak taczanka na stepie, nie musisz wcale tam jechać człowieku i będzie to nawet lepsze, jak nie dojedziesz, to będzie real performance, jechać, ale nie dojechać, to wywoła wzrost ciekawości, czytelnik sięga po książkę, krytyka pieje z zachwytu.

Tak, mówię, spotkanie może się nie odbyć, ale sos dobrze byłoby zainkasować, i tu pojawia się klasyczny klincz, karmiczny splot, zaczynam się gotować jak zalupowany procesor, klima w przedziale chyba nam padła, w członkach energia, wstaję, azymut wars, ale tyłek opada, a na dodatek ta suka nie pisze, więc dla przypomnienia: **GdzIE BYLAS???** I raz jeszcze: **gdzie kurwa bylas!!!!**

Za oknem istne akwarium, interior ogródków działkowych, altany wśród karłowatej zieleni, a nawet niby-dacze, miniganki, balkoniki, w oknach firany, krzaki porzeczek kryją czerwone, nakrapiane na biało, odwrócone dnem, blaszane miednice, gdzieniegdzie gipsowa rzeźba, kobieta, zwierzę, karzeł, okaleczone jak bonzai jabłonki uginają się od dojrzewających owoców, czyli rajskie ogrody, mrużę oczy jak rewolwerowiec, może to rodzaj zadumy, gdy nagle nowy film, pod lasem polna droga, krzyż, zagrzebana w szczerym polu wielka jak czołg terenówka, chłopcy wyciągają to z błota, dalej lipa, dąb?, raczej lipa, rozłożysta jak drzewo poznania i połacie malowane zbożem rozmaitem, pojawił się orkisz, wnet po horyzont cytrynowe rozlewisko rzepaku, wstęga asfaltu w asyście rosłych topoli, zamknięty przejazd, metaliczny gong, pulsacja czerwonej sygnalizacji, kilka sekund i dwór jak mazowiecki, może by i można z tego wskrzesić pewną fabułę, na przykład, że na podjeździe parkują bryki, ostatni zajazd, w menu bażanty i basen, dziewczyny tylko topless, zośka zrobiona jak świnia, w korycie dragi.

PIP-PIP, coś dokuje, aż cię wzdryga człowieku, niesiony impulsem wyciągam, ale nie otwieram, kilka głębokich oddechów, nie daj się ponieść przez nerw, i już liczę, ile wagonów do warsu, dwa, trzy, cztery, pięć, może sześć, nie wiem, bo nie brałem pod uwagę, szykował się odwyk, detoks od wszystkiego, ale to było błędne założenie człowieku, bo nie da się uciec, więc stawiam system na nowo, cel jawi się teraz klarowniej, wytyczne na jedno, góra dwa, ale stop, stop, ciążenie jak kula u nogi, spoglądam, a tam na mieliznach myślotoku kotwica – honorarium autorskie, więc nie unoszę się, wyciągam bilet, bo kartki już nie ma i leci to tak, wojna termojądrowa, czyli ostatni zajazd po bitwie, dali się ponieść temu wszyscy, bitwa totalna, tak że ziemia jałowa, ale tutaj oto się ostało sioło, kolebka jak arka, i to jest nawet niezły pomysł, rysuje się wizja apokalipsy, jestem prawie nakręcony, ale długopis pośliniony stawia nieme i pochyłe znaki, chemia daje do zrozumienia, że nie bierz się człowieku do pracy bez paliwa, staniesz w pół drogi, więc w tym miejscu cumuję i pękam, a może bezwiednie wyciągam komórkę i sprawdzam.

Do przewidzenia: **gdzie bylas?? cos z toba nie tak? może przestan cpac! i, tylko nie kurwa.**
Bo co, kurwa, co?, a właśnie, że kurwa: **właśnie że kurwa kurwa.**
I jeszcze: **suko.**
W momencie zwrot: **no chyba ci się coś pojebało leszczu**
dziwko
chuju
pizdo
kutasie masz przeebane!
GDZie wczora byalass szuakals dupom szcześcia.
I chyba się udało trafić, bo ona wychodzi z siebie: **kutsie zaraziels mnie jakims syefem od tych pizdy co je peirdolisz na boku!!!**
Ale ja: **działasz jak zabawka naciśnij i pisnij,** mam ochotę strzelić mocniej, żeby zabolało to upomnienie, mam zejście i niezbywalne prawo do katartycznego upokorzenia.

Ona chwilowo przyblokowana, więc ponawiam: **tty kurwo**, to jest terapia, jak przystawianie pijawek, gorzka krew schodzi, przez chwilę rozkosz wywołana urodą krajobrazu, zagon słoneczników, karłowate wierzby płaczą nad rzeczką opodal krzaczka, bocianie gniazdo na słupie, i nagle chemia jak szok, żal w dołku, cisną się wspomnienia, ona i ja w promieniach najbliższej gwiazdy, dopiero wczesna wiosna, a ziemia zimna, wokół połonina, kilka szczytów zdobytych, człowieku nie można wszystkiego tak na mordę, serce prosto w pysk!, ale trzymam gardę do końca, nie pozwalaj kwitnąć słabości człowieku, twarz przykleja się do szyby jak glonojad, pierwszy papież, budzący respekt monument z brązu, wielki jak jezus w rio, ręce wzniesione do nieba, modlitwa o deszcz, do sfałdowanej szaty kleją się kalekie dzieci, wyciągam jednym ruchem telefon jak wiszącą u pasa broń i: **ty pierdolo..**

Nieznana siła wyrzuca mnie na korytarz, koniec przyduchy człowieku, oczekiwania na zmiłowanie, plecak ciąży, zawadza, obija się o stojących, po co brałem tyle guana?, wbijam do kibla, by ochłonąć, otwarte okno, powietrze jak wrzątek, na sedesie krople, rosa w wielu odcieniach żółci, ciasno, na karku pot, w plecaku jakieś książki, swetry, wąsy, kredki, wszystko, ale piguł na znieczulenie brak, choćby jeden mały giecik, ręce trzęsą się jak osika, przetrząsam kieszenie, w środku okruszki, zbrązowiałe patyczki higieniczne, płyty dvd, z czym?, litery prawie zamazane, nie można odczytać.

Wypieprz to gówno człowieku, sięgam do śmietniczki, unoszę wieczko, upycham i tuż przed ruchem, a cóż to?, wyciągnięta

w górę ręka topielca, tonący w śmieciach superbohater, żołnierz kosmosu, pomóż mu człowieku!, wyciągam ostrożnie,
bo to może być umaczane w jakimś gównie, figurka ewokuje
przeszłość, zagubione klastry wspomnień stają przed oczyma jak film, żołnierzyki, koniki, szabelki, armaty, wagony,
drzewka, stateczki, guziki, kapsle, naboje, przypinki, dywany,
makaty, makatki, na nich zdjęcia, rodzinny dom, szafy pełne
rzeczy, sterty ręczników, wyprawka na ślub z zamiecią jądro-
wą, dostaję po mordzie od społecznika, zima pod tankiem na
Zgody, pierwszy wrzód, wzwód, mleczny ząb, bank.
Natchnienie przepływa przez ciało jak grom, dzieciństwo!,
wskrześ świat, który umarł człowieku, bo to temat gorący jak
bułka prosto z pieca, z tego pociekne sos jak nadzienie z pącz-
ka, bo wiele jest serc, które czekają na foty z przeszłości, draże
sentymentalne w polewie czekoladopodobnej, to pomaga od-
rywać się od grawitacji, odkleić od chleba powszedniego, tyle
się człowieku wtedy działo, przemiany, przekręty, migracje,
ogólna integracja, też deprawacja, osiem dziewięć-dziewięć
osiem, fascynujące!

Ale stygnę w moment, bo po co?, fascynacja to jest zabawka
hochsztaplerów, bo fascynujące są dziwki tańczące na rurach,
to jest fascynujące, cycki, tyłek, uda, efekt pracy najlepszych
genetyków, a na koniec zdjęcie majtek, rozwiązanie zagadki,
tajemnica wychodzi na jaw, i wreszcie się ruchają w chacie
nad bajorem, długie tego opisy.

Tak że opowiadanie dzieciństwa odpada, bo to jest frajerstwo,
i już nie szukaj dziury w całym człowieku, przestań kombi-

nować, bo ten mały kibel w superekspresie widział grubsze historie od tysięcy złotych sentencji, słowo niech wreszcie wymiera, cofnijmy się do świata sprzed słowa, od nowa, gdzie nie ma nazw tylko nagie życie, impuls przetaczający się przez czasoprzestrzeń jak piorun kulisty, i nagle natchnienie, rażony jak na elektrycznym fotelu, aż woda chlusta, ekspresowy skład się bełta, a na dodatek PIP-PIP, po prostu w pysk: **Chcę się z tobą rozstać.**

Wielki oddech zen, kilka przysiadów i coś pęka, prawie atak serca, ciskam się po sraczu, w powietrzu bluzg, zwykła bicz ze spalonej speluny!, trzydziestu znajomych na fejsie!, zero wejść w załączniki, żadnych komentarzy!, i wszystko się robi czarne, ale nie daję po sobie poznać, staję przy oknie jak cesarz, rzut oka na pole bitwy, ale nic nie widać, mlecznobiałe plastry kiblowych szyb, ledwie wąska szczelina, bucha z niej rozgrzany roztwór, powietrze dodaje otuchy, a może przegrzewa do cna, wyciągam asa z rękawa i ciskam o stół jak kość.
Jak tak, to tak, sama tego chciałaś, **ok, rozstajemy sie KONIEC.**

Pokazywałeś ją na salonach, nosiłeś jak ozdobę człowieku, to ona, to ona, to jest jego dupa!, ale finito, das ende, ucz się pływać w szambie, to jest miejski crawl, a ja walę dalej, nowy etap, możliwości, kontakty, przed tobą tylko dupa, będziesz płacić nią za błędy.
Uff, schodzi krew, ale trochę za miękko to brzmiało, chce dodać **ty k**, ale tonuję, **wiesz ze byłaś nikim dzięki mnie awansowałaś zabirałem cie na wyjazdy spotkania płaciłem za hotel jecenie ale ty się teraz tak odwdzięczasz Kompletnie tego nie rozumiem lae to**

jest chyba tak w życiu żegnaj, pojawia się stukanie w drzwi, tak?, mówię, już wychodzę!, i otwieram, tłuściutka paniusia w szykownej garsonce, wpada do środka, drzwi ledwie domknięte, już sadzi soczyste bąki, żadnej świętości w mej świątyni dumania, eksport chamstwa i chary, staję na korytarzu, PIP-PIP, fatalny jest ten sygnał powiadomienia!

gdzie ja miałam oczy, że się z takim gnojem zadawałam.
Dobrze, mówię, masz to za sobą człowieku, bez przyszłości to było, każdy ci to powie, widać jak na dłoni, ale punkt po punkcie, krok po kroku, sypie się konstrukcja, odpada płatami farba, chemia jak bagno, bulgot, anihilacja, wszystko spieprzone na wieczny kac i nagle wiem, co należy, nurkuję w gardle wagonu, restauracyjny inny od typowego, albo typowy dla tego obszaru kulturowego, czyli jesteśmy już na manowcach, bo nie wesoła kawiarenka, świeże obrusy, flakoniki z fiołkami i klimacik debaty, ale klatka, tkwią nad pastami, grzebią w posiłkach jak śnięci, nędza, po trzykroć beznadzieja, co gorsza brak piwa, nie ma nic alko, już dawno nie ma, wie pan, jowialny typ smaży jaja na szynce, małe zagracone zaplecze, stosy kartonowych soczków, herbatników, pojemników, nie ma?, takie panie uregulowania, mówi, ta wiadomość jak wściekłość i wrzask!, hańba!, to ma być wolność?!, poddaństwo, pacholstwo, brukselstwo!, sprzedani!

Szok, szajba, prawie wylew, wyszarpuję telefon, love letters ciąg dalszy nastąpił.
Żebym cie wiecje w zyciu nie zoabczycl, poszło, i raport, że doszło.
Bo jak cie spotkam to nie wiem co zronbei, poszło, i raport.

Dziwko jedna zajebana suka szmato kutrwo, poszło, wybijam z warsu, bo dziadostwo na ślepo raczkuje w kierunku europy, droga powrotna prosta jak nić, ale kluczę niby w labiryncie, od niej wiadomości brak i nie mam sił lać bluzgiem, łeb pęka na pół, dewastacja, druzgot, potrzebna transfuzja nowej chemii, za szybą miasteczko, jest jednak ratunek z bagna, gdzieś dojeżdżamy?, mówię, a stojąca przy oknie, ta, która szczęścia szukała, kiwa głową, że tak, i dobra nasza, za chwilę będą się szwendać z siatami, miejscowe szczochy z marketu DiDi, Browar Przeżuty, polska made in china, plastik półtora litra za czwórkę z groszami.

Za oknem kalejdoskop, kantory, banki, kredyty, pożyczki, chwilówki, kolektura, monopol, w zasięgu wzroku billboard, cztery dupeczki w jacuzzi, z tyłu turecki kurort i kości antyku, napieramy dalej, przed oczami ciemna faza jak mucha końska, spija resztki słodkiej chemii, sączy truciznę, skąd ten kac?, ładuje się pamięć podręczna, slide show **wczoraj**, łapczywa konsumpcja, beztroskie wrzuty, kwasy, korut, jakieś rozpaczliwe dziwki i uświadamiam sobie, że to nie ona, ale ja wczoraj spuszczony ze smyczy, bardzo daleki odlot, ale już za późno, nie można odkręcić *kurw chujów*, syfu, który przyszedł łatwo jak szczekanina zezłośliwionego kundla, więc raczej tak musiało być, to było w was i eksplodowało człowieku, nie kładź se tego na barki, a nawet pielęgnuj ten uraz, korzystaj z życia, bo mniejsza z tym, nie ona jedna, ale za chwilę, że jednak jedna.

Nagle stajemy i to już jest chyba dużo dalej, inne miasto, inny czas, ale bez różnicy, bo zjawia się dziad z plastikami jak duch, biorę dwa po litr w każdym, wypijam jeden, połowę drugiego, kołatanie schodzi, gra słów zamiera, szczury przestają hałasować, spokój jak w oku cyklonu, już nawet nie wiem, czy z nią byłem, czy byłem gdzieś indziej, zapadam do się jak w masło, w majaku śladowe ilości orzechów, obieram je palcami i konsumuję jak gryzoń, szarpnięcie, budzę się w poprzek fotela, usta sklejone na amen jak taśmą, kompletna suchość, mrok, na korytarzu kroki, ktoś wchodzi, siada, gadają, na wyświetlaczu – nie odpisała, za oknem wciąż dzień, pikuję w otchłań, być może nawet docieramy.

Mityng

bóg, proszę pana, to jest wytarte pojęcie, trzeba je odfiltrować z szumów i okaże się, że wszystko jest dużo prostsze niż mogłoby się wydawać, mówię jak mistyk, i nie chodzi o to, że go nie ma, pan mnie łapie za słowa, choć być może jest, a może nie, kto go wie.

Przed wejściem źle wyciosane zwłoki, inny niż u nas typ człowieka, kościec gruby, nisko osadzony jak piechur, lico ziemniaczane, czerstwe, rumiane, a może oni są tu już strzeleni?, a ty człowieku popadasz w kryg, że nie pij, nie pij, a tu widzę, że to jest poczytane za punkt honoru, palnąć przed mityngiem, więc człowiek się uczy na błędach, gdyby jeszcze dopisywała pamięć, żeby ich potem nie popełniać.

Chodzi o to, że, to znaczy wie pan, mówię, nie do końca tak z tym jest, a ja myślę, i to chciałem zaznaczyć, że to efekt tylko i li własnych przemyśleń, nie prawda objawiona, bo jak w ogóle można wychodzić z prawdą w obliczu, wie pan, niech pan spojrzy po prostu w górę, grozy kosmosu, no i skandalicznych sukcesów rodzaju ludzkiego, to niedorzeczność!, mówię i tracę wątek, do środka wchodzi gruby z biodrówką, na spranej koszulce *Evil Dead*.

I tu, mówię, powinniśmy się pochylić nad właściwym nurtem dyskusji, wie pan, ja o tym lubić nie mówię, to jest mówić nie lubię, dlatego piszę, stąd się to bierze, z ogólnej konstrukcji charakterologicznej i naniesionych przez życie nawyków. Czyli pan się uważa za wolnego człowieka, pyta, czy raczej stwierdza, siwy, miejscami przyczerniały, zażółcony w środkowej części gęsty wąs, pod nim wąskie usta jak wrota tartaru, brzydota wcielona, a może szaleństwo.

Jestem, proszę pana, nawet nie wolnym, ale powolnym, człowiekiem powolnym od, wie pan, spowolnienia, ale i od woli Pana, cha, cha, cha, ale tak naprawdę starość, to znaczy wolność, to ideał niewolnika, mówię, jak strzał w ciemnościach nadlatuje zasłyszany frazes i siada tu idealnie, więc biorę go jak swój.

Jestem wolny od klejenia baby w piaskownicy z pojęciami, mówię, charyzma napływa jak adrenalina i daję się ponieść, wielkie idee, hasła, transparenty, to nas nie dotyczy, ludzi wolnych, to znaczy tych, którzy rezygnują z brania udziału, nie być częścią tego, wie pan, o co chodzi, choć z drugiej strony dlaczego nie być częścią tego?, teraz, kiedy prościej jest nie być, istota leży w sprzeczności, a dokładniej chodzi o paradoks, mówię, bo czuję, że to strzał w sedno, nie wolno dać się omamić przez pojęcia, ten słaby przyodziewek umysłu, istota jest naga jak dziecko, mówię, stojąca obok patrzy jak na pedofila i wyciąga teorię względności i relatywizmu.

Gdyby to było tak proste!, mówię, ja, proszę państwa, zastanawiam się nad rzeczami, wiele rzeczy mnie głęboko porusza, ale mam propozycję, wejdźmy do środka i rozpocznijmy, bo widzę, że pan prowadzący.., mówię i oczywiście wypadło mi z głowy nazwisko, a nawet imię, świetnie, kurwa, popisałeś się człowieku.

Się niecierpliwi, mówię i widzę, że, w istocie, mam rację, pani dyrektor daje z tyłu znaki, że najwyższy czas odpalić jubel.

Ja myślę, że chyba zaczniemy, mówi ten skromny inteligencik, Jacek, Jarek, Marek, Burek, jest chyba trochę zbyt dopieszczony jak na mój gust, za bardzo posunięty w stronę schludnej poprawności, nawet ten szelmowski wąsik sytuuje go nie w pierwszym rzędzie manifestacji hipsterstwa, ale na półce z matrioszkami, produkt sprofilowany pod turystę z wielkiego świata.

Bo która jest właściwie?, mówię i udaję, że patrzę na czas, na przegubie brak zegarka, więc sięgam po telefon, że niby chcę zobaczyć, która godzina.
Osiemnasta piętnaście, mówi, on to robi szybciej, a tam daje znaki, że już czas, pani dyrektor, dobrze odżywiona kaczka, policzki błyszczą jak aplikowane sadłem, na skroniach pot i postawione na sztorc cycki, mam ochotę puścić się z nimi w szatańskie tango, by popłynął z nich sos, kropla do kropli aż uzbiera się miarka, sosjerka jak pełny magazynek.
Kwadrans akademicki, cha, cha!, to może zaczynajmy, po spotkaniu znajdziemy chwilę na rozmowę, mówię i chcę dodać: *mam nadzieję, że się jakaś chwilka znajdzie, wie pan, czas to*

pieniądz, bo pachnie to szaleństwem, partnerka siwiejącego wystaje z mierzwy srebrnych kłębów, wata cukrowa z zeszłego karnawału, w dłoni pełna papierzysk reklamówka, może nawet biblia w kieszeni, opasłe czarne tomiszcze. To co, wchodzimy?, mówię, jak się, jak się nazywał ten tu?, człowiek prowadzący wieczorek?

To może wejdźmy, zapraszam, mówi, przestaje mi się on podobać, filutek, zalatuje fałszem jak zły grzyb.

Sala tonie w błękicie oślepiającego światła, ręce od razu chodzą jak delirykowi, *lost weekend i last minute pod wulkanem*, trema czy kac?, może trema i kac, wstępujemy w jasność, sala wypchana po brzegi, wąski korytarzyk między krzesłami, tędy, idziemy tędy, wokół szepty i pochrząkiwania, z przodu podwyższenie, na nim stolik, trzy metalowe krzesła z czarnymi obiciami, po co trzy, jak nas dwóch?, na stoliku woda, chce mi się pić, człowieku chce ci się pić, ale nie nalewam, żeby nie rozlać, rozchlapać, dłonie żyją własnym życiem, a ty się nie możesz człowieku podłożyć jak szmata, więc jedyne co, to uśmiech na twarzy, szczery chłopak ze szczerego świata, awatar prawdziwszej prawdy.

Ale pachnie to źle, już wcześniej zalatywało, od kiedy skład stanął na dworcu, bar, rozklejona bryła hotelu, silikon wycieka szczelinami, kiosk, pornosy, ławka, maxi hot-dog, postój taxi bez taxi, przystanek alaska, kolejna dupa z pretensjami.

Nie, nie, proszę nie wysyłać samochodu, z przyjemnością przespaceruję kilka kroków, dwadzieścia minut pieszo?, ża-

26

den problem, dwie godziny do spotkania, dziękuję za troskę, mówię. Tak, tak, koniecznie główną ulicą, wszystko dokładnie zobaczyć, bo wielość atrakcji, mówi ktoś z drugiej strony, głosik jakby przegięty, dobrze, z przyjemnością, mówię, kończymy pogawędkę i nurkuję w mieścinę, serce na ramieniu, bo tynk odłazi, cegła odpada, a melina na melinie, przed oczyma staje rosyjska północ, Nikiel, Murmańsk, Mazut, azbestowy disneyland, wielka wyrwa w ziemi, znój polarnej nocy, koniec znanego nam świata.

Człowieku, ty napisz o tym reportaż, walnij książkę drogi!, temat gotowy, hit, do tego się wrzuci kilka haiku i wyłoni się tao, mistyczna enigmatyka chwyta za gardło, zapisz ten pomysł człowieku, zanotuj choćby na ręce, więc graweruję to w korze, potem się to wszystko ogarnie, labirynt miasteczka pokazuje drugie oblicze, fasady stają się jasne, małe, sklejone ze sobą budyneczki, każdy pokryty imitującym deskę panelem, defekt-sklep, bank, pożyczki, zabawki, buty, rowery, sprzęt do rehabilitacji, bukmacher, dom pogrzebowy, wbite w deptak kikuty przystrzyżonych topól, eastern story, ruch tu, ludzie dreptają, jakby było za czym, jest ich dość dużo, wreszcie bramy starego miasta i budka z lodami, na krześle w okienku pomarańczowa panienka, ładny pyszczek, cycki, co dziecka nie widziały, strzela obdarzonymi dodatkową rzęsą oczyma, za bramą kolejne atrakcje, dziwy, kramy, namioty, budki, w nich ciągutki, ptaszki, fujarki, glinianki, a nawet biżuteria, szmaty z lnu, amulety, miody, w końcu czyste pogaństwo, snycerze, rzeźbiarze, babcie dziergające zbroje, chłopi pańszczyź-

27

niani w łachmanach stoją z tacami, na tacach koreczki, obok stół i kielonki, promocja miodów, w beczkach kapusta, dalej małorolni częstują małosolnymi, bacowie z oscypkami, pod namiotem golonko, frytki, pierogi, kiełbasa, smalec, keczup, musztarda, majonez, dmuchane zamki, na skwerach gipsowe dinozaury, otwarta pipa z piwem, gra świateł, fontanna, kilka, a nawet kilkanaście mniejszych czy większych podestów, próba mikrofonu, kapela folkowa giba się do crazy disco, mieścina w swych high definition days.

Haj jak cehauj, hajmax, a ja trzeźwy jak świntuch, haj gone with the wind, i to wszystko maluje się na smutno, jarmark, dożynki, podrygi, dobrze byłoby coś zrobić, nawet coś małego, ale nie ma niczego, skąd brak roztropności?, wspomnienie przelatuje jak błysk, dom, ściana, łóżko, poranek, chwile chemicznej słabości, przeszywający serce brak dobrej chemii, gorąca pała, zimna woda, prysznic, ogólna dewastacja, odstaw to!, oczyść, ocuć, idź prosto, jedz zdrowo, pisz, czytaj, pracuj, tańcz, gotuj, pływaj, mailuj.., ale teraz włącza się głód odrealnienia, czy urealnienia, więc new deal z pewnością nie today, ale jutro, tym bardziej, że już pociągnąłem z plastiku od chłopa, więc śluby złamane, wracaj z górki do domu, zwłaszcza że w żołądku pożoga zgagi, prośba o płyn, wchodzę tu na rogu do sklepu.

Proszę mi pokazać tą małą buteleczkę, mówię.
Tą małą czy tamtą?
Tą nie taką najbardziej małą, trochę większą niż mniejsza, po pani prawej, jeszcze bardziej po prawej, o tak, co to jest?,

może mi pani pokazać, to jakaś nowość, coś lokalnego?, mówię.

Ale ona nic nie wie, nie wiem, pracuję dopiero od wczoraj, mówi.

Zawsze chcą się wyłgać, eksport tumiwisizmu, i nie od wczoraj, ale wczorajsza, zepsute paliki zębów, gorący, gorzki oddech, nie ma co się przekomarzać, wchodzą środki sprawdzone, dylemat, sto czy dwa pięć?, sto nie warto, bo nie warto, dwa pięć usiądzie, choć może nie, może stań na stu, a jak co, poprosisz o repetę, biorę sto i ściągam haustem za rogiem, słodkie jak ulepek, zawsze powtarzam, że tego gówna nie da się pić.

Pewnie państwo wiedzą, z kim dziś się spotykamy, ale dla tych, którzy nie wiedzą, tytułem wprowadzenia powiem, że nasz dzisiejszy gość jest artystą intermedialnym, performerem, poetą, fotografem, malarzem, muzykiem, scenarzystą i reżyserem, twórcą pierwszego taniego filmu drogi oraz drogiego filmu o robieniu tanich filmów, przed państwem przedstawiciel pokolenia *wszystko po cztery złote*, a przede wszystkim pisarz, autor pierwszej narodowej powieści hipertekstowej oraz pierwszej noweli pisanej od tyłu, której treść można poznać, czytając w lustrze, sławomir mateja, który na co dzień ukrywa się..

Wystosowany do powitań robot nawija jak maszyna, seria z automatu, ta ta ta ta ta ta, to tak się tu wita znakomitości?, skandal, hipokryzja, ale odrywam się od myślotoku, bo raczej się przesłyszałem, ale rzucone w salę słowa robota wirują w czaszce jak rozwścieczony przed burzą bąk, zdradziła tożsamość człowieku!, czyli nierzetelność, brak przygotowania, bylejakość i zwykłe chamstwo!, nie po to firmuję te intersytuacje przy pomocy logo, chcę jej powiedzieć, żeby byle cipa na spotkaniu w pierwszej lepszej dupie podawała moje dane osobowe, podaj im jeszcze imiona rodziców, PESEL i numer konta, idiotko, chcę jej powiedzieć, ale nie mówię.

..pod pseudonimem artystycznym sławomir shuty, choć niektórzy czytają je szyty, szuty, szuti, szati, a nawet szaty.. Bywa, że suty, a nawet skuty, mówię i mam nadzieję, że mimo ohydnej wpadki pierwsze koty za płoty, stukamy brudzia, ale oni tam z drugiej strony nawet nie uśmiechną się przelotnie pod wąsem.

Tak, tak, w różny to jest sposób wymawiane, mówię, ale nie wspomniała pani jeszcze, że jestem także, a może przede wszystkim, podróżnikiem, wycieczki stały się sensem mojego życia, zarówno te pod czyimś adresem, jak i w przestrzeni wewnętrznej, mówię, puszczam oko, że taki ze mnie triper, cool luz chill, właśnie zatarłeś niekorzystne wrażenie człowieku i zdobyłeś serca od kopa, choć może nie, bo to jest monolit pustych twarzy z naprzeciwka, publika wypożyczona z psychiatryka.

Zaczynam konotować, z kim tu do czynienia, sala wypchana prawie po brzegi, przymusowa wycieczka z pobliskiego ogólniaka, bezmyślne facjaty, kombinują, żeby się to gówno skończyło i mogli wreszcie wyjść, zaczerpnąć w płuca dożynek, naEBać, skojfać, skleić, zasnąć na tyłach sklepu, w ostatnich rzędach ożywiona rozmowa i chichoty, cztery dupy i pięciu podbijaczy, smyrają się smartfonami, wysyłają newsy, kasują pocztę, ładują sieć, bunga-bunga wisi w powietrzu, dlaczego nikt nie widzi, nie reaguje?, przecież uciszcie gnoja jednego z drugim!, powinienem powiedzieć, ale raczej żałuję, że zrobiłem sto, bo mogłem dwieście pięćdziesiąt, dwa pięć by siadło jak złoto, o boże, o boże, błędne założenia, błędne kółko, dwa pięć i wszystko by zaskoczyło, po prostu haust świeżego powietrza.

Pana sztuka jest krytycznym spojrzeniem na współczesną rzeczywistość oraz wnikliwą analizą mechanizmów kultury, porusza pan problem widzialności i niewidzialności określonych wzorów cielesności oraz tyranii ideałów zdrowia i urody funkcjonujących w kulturze masowej, mam w związku z tym dwa pytania, proszę powiedzieć, gdzie obecnie jest miejsce dla artysty wyrażającego odwieczne pragnienia egzystencjalne, ale niezmagającego się przy okazji ze znojem życia, tworzącego czy też dążącego do tworzenia sztuki w dawnym paradygmacie artystycznym, który prowadzi dialog z tradycją, mówi, odnoszę wrażenie, że pyta o rozmiar bielizny, proszę podać rozmiar, gatunek, markę, czy często pan ją zmienia, w jakich odstępach czasu kupuje pan nową, kiedy pan ostatnio uprawiał shopping, w jakim sklepie, pośród jakich okoliczności, czy był to salon klimatyzowany, czy zwykły market, gdzie był położony?, czy respektowano karty kredytowe?, jest pan posiadaczem karty i jeżeli tak, to jakiej?, jak układają się pana stosunki z konkubiną oraz czy rzeczywiście powodem opiewanych w prasie niesnasek są różnice w pojmowaniu znaczenia miłości francuskiej?, ciągnie ten szczupły, schludnie ubrany inteligencik, a ja nawet go nie słucham, mam nadzieję, że nie jest źle z tym, co mówi, że dobry marketing mi robi.

Panie prowadzący, mówię jak sam przewodniczący, każdy ma prawo nakreślić prywatną perspektywę widzenia i wybrać z życia to, co mu się podoba, jako artysta wielomedialny chciałbym przede wszystkim przełamać barierę szoku, postrzeganego na różne niewykluczające, a dopełniające się sposoby, nasze czasy nie sprzyjają spójnej narracji, nowa synteza kodów mistyfikacji i demistyfikacji staje się niezbędna, by zdiagnozować i ponownie zapisać współczesność, sens tak rozumianej sztuki istnieje także poza samą sztuką, w końcu życie jest niczym innym jak performansem, a co do bielizny, to, tak, tak, czternaście–szesnaście, karta naturalnie złota, a co do relacji z konkubiną, owszem, zdarzają się na ten temat różne reportaże.

Ktoś z sali pokazuje na migi, a francuz, co z francuzem? Odpowiadam także w dialekcie dla niesłyszących, że nie chciała.., i przytomnieję na chwilę, na twarzach malunek zdziwienia, jakby ktoś chlusnął czerwoną farbą, może to jest święte oburzenie, trudno wyznać, na wszelki wypadek przedstawiam się, tak, tak, dzień dobry, witam wszystkich serdecznie, cieszę się, że mogę tu z wami być, dobrze jest wyjechać, zaczerpnąć powietrza, a tutaj ta wasza miejscowość, przygotowuje się, jak widziałem, do wielkiego festynu, czy to z okazji jakiegoś święta?, prawdopodobnie matki boskiej kwietnej, proszę wybaczyć, ale nie jestem biegły w kalendarzu.

To nie festyn, walczymy o miano europejskiej stolicy kultury, mówi jakaś kobieta z trzeciego chyba rzędu, może czwarty, piąty, szósty, głos dobiega gdzieś stamtąd, z monolitu tylnych krzeseł, acha!, z tego powodu i ja tu, jako element programu, część większej całości, która boryka się o europę, to się nazywa walka o ogień, bitwa o dotację, rozpłodowy byk strzela sosem tak gęstym, że miło, petronarkoeurodolary, wyższy standard, złote tarasy, a więc jednak haj-definicja, monolit rozstępuje się jak niebo podczas proroczej wizji, widzę, że tu więcej się pochowało ciekawostek, nie tylko szkolna ciżba, ale kurioza, ten jeden tam, siwy, brodaty nawiedzony i inne karykatury, wysoki po prawej wyraźnie zgejony, zakleszczone w uśmiechach pracownice urzędu bibliotecznego, babcia z aparatem, nieprzejednany polonista, w trzecim rzędzie cztery paniusie, ciężkie i tłuste, wpychają w usta zakąski i popijają z kartoników.

Uwielbiam podróżować, mówię, ale nie turystyka, a spotkania ze zwyczajnymi ludźmi, autochtonami zamieszkującymi niezbrukaną stopą turysty dzicz, turystyka, proszę państwa, zagraża światu.., mówię i włącza się wrodzona skromność, tak się kupuje serca, ale wody nie nalewam, mineralna biwakuje na stoliku, ręce trzęsą się jak staruchowi, ściskam spocone paluchy pod stołem i nagle wibracja przenosi się wyżej, ciało zanosi dreszczem, jednak kacprowy, skąd to?, i co ja wczoraj, na boga?, znów zero reform, lecz trzymam pion, przestaję mówić, kończę to wszystko chyba złotą sentencją i nie wiem, czy w dobrym kierunku, więc uśmiecham się, by kupić serca, w drugim rzędzie niezła pupeńka, podlotek, czarna oprawa, świeżość czerwonych ust, stoję na ulicy z nią, stoję twarzą w twarz, ale jakieś kaszlnięcie i aż podskakuję na stołku, delirka vol. 2, niech się to wszystko już skończy, bo zejdę, wyniosą mnie na marach jak janka, który padł.

Światło, teraz cieplejsze, ogień pytań, w tle utajony szept, licealność i małomiejska pretensja, wszytko wycelowane w stolik, odpieram astralny atak jak szaman, ale pocę się jak knur, on, inteligencik, też patrzy jak na zakalec, wiem, znam, farba na lisie, zadaje te przymilne pytanka, *jak pan to i tamto, a gdzie i kiedy*, jest mi tu jak przyjaciel, bo mu za to zaświecili hajsem po oczach, bo gdyby nie zaświecili, to stałby tu i spluwał z obrzydzenia, czytam mu to z ust, nagle wymoczek zajeżdża fałszem na całej linii, a we mnie strach, że po wstępnych uprzejmościach zejdzie na kłopotliwe kwestie, problemy, regiony; przed państwem pustka i nicość, na szczęście mu zapłacili za pijar.

Jest pan uznawany za prekursora, a jednocześnie czołowego przedstawiciela gatunku, co pan myśli o pracach artystów młodego pokolenia?
Proszę pana, wolę nie myśleć, wszystko, co tworzę, to głos czystej intuicji, dźwięk niepokalany intelektualną naleciałością, mówię, i to go, mam wrażenie, ustawia właściwie.
A młodzi?
Co młodzi?
Co pan o nich myśli, o ich pracach?
Tak, tak, niektóre nawet znam, oczywiście wspieram młodych, niech pan sobie wyobrazi, że wspólnie z kolegami po pió-

rze podpisaliśmy specjalną petycję, powoli nabierającą mocy urzędowej, która ma młodym na ich trudnej drodze pomóc, wie pan, początki są zawsze trudne, my z profesji musimy się wspierać, otwartość na młodych to świadectwo otwartości ogółem, a przecież jesteśmy narodem otwartym, gościnnym, nie bez kozery mówi się, czym chata bogata.

Brawa, wreszcie strzał w czuły punkt, więc w to idę, w tę nutę, tego właśnie chcą, usłyszeć o sobie w kontekście, biorę oddech, ścieram pot z czoła, wlewam mineralnej, nawet wychodzi ta sztuczka, delikatne tylko drgania rąk, podnoszę szklankę do ust, są tu jakieś ohydne zacieki i znów na twarz wkrada się tik, raz jeszcze nerwówka, nie przełknę tego, chyba że zwrócę, więc zwracam, ślina osadza się w cieczy jak glut, zakrywam szklankę dłońmi i zaczynam nawijać, rozwijać, ślizgać się po tematach jak namydlony, to już jest przećwiczone, ten słowotok, w niejednej dupie się jadło chleb, i krok za krokiem wychodzą na wierzch traumy, jakich się nabawiłem, w jakich brałem udział, rzucam kawałkami o konieczności szukania chleba za wielką wodą, o wojskowych kamaszach i przyjęciem fali na klatę, o przykrych doświadczeniach z banku, o dymaniu przy łopacie na budowach świata, cierpienie jednym słowem, które uczy.

Na sali ponura cisza, lecę minorową nutą, by jak siłaczka poruszyć serca, obudzić umysły, życie to jest wielki sen, mówię, i choć wiele doświadczyłem na własnej skórze, to nie jestem już tym samym zapijaczonym typem, który do białego rana zalegał na knajpianych stołach, modląc się o stosunek seksualny z pierwszą lepszą, przepraszam za wyrażenie, szlają, szczerze mówiąc, taki wizerunek stworzyła na własny użytek prasa niszowa, ale używki już dawno nie są priorytetem, mówię, bo to zawsze robi wrażenie, podróż przez uzależnienia, którą ma się już za sobą, tak zwany utracjusz na wielkim odwyku. Ale od dawna nie napisał pan niczego, co pan właściwie robi?, mówi, toś przygrzał, inteligenciku, i jeżeli przed chwilą chciałem cię zaprosić na sałatkę z owoców morza, to teraz centralnie mi się zepsułeś, zaczynasz się dopieprzać, dociekać, wywlekać, a zresztą, jeżeli nawet nie napisałem, to po co to *ale*?

Różne dziwne rzeczy, mówię, wkrótce napiszę o uzależnieniu i o tym, że wygrałem z nałogiem i właśnie dlatego czasem warto się uzależnić, mówię, odbijam cwaniacko, boso, ale w ostrogach, tymczasem tam już wstają i wychodzą, zerwane łącza, po prostu lubię czasem pożartować, mówię, a tak naprawdę, już przestając żartować, mam setkę planów i wczytuję opowieść o zamrożonych pomysłach, otwartych projektach i możliwościach, jakie kreśli przyszłość, i wypełnia mnie przeczucie wielkiego potencjału, patrzę na tę młodą z czarną oprawą i zaczynam roić, że coś jest z nią na rzeczy, las, ścieżyna, czerwony kapturek, wyrywam wianek, żeram zapasy dla starej, a potem wracam do siebie, zwykła przygoda na wyjeździe, inteligencik drąży, drży prawie z przejęcia jak wałęsa na wiecu w stoczni, przytakuję jak samochodowy piesek z głową na ruchomej szyi, ale nie słucham, nie umiem, mam misję w sekswizji i kiedy inteligencik milknie i wyczekująco patrzy, rzucam, że nie ma już prawdziwych pisarzy, bo prawdziwy pisarz nie ucieka przez eksperymentem, nie chowa głowy w piasek przez bluzgiem pijanej muzy, ale bełta mi się wszystko w środku jak w betoniarce.

Dobrze, dobrze, inteligencik zadowolony, że dał się poznać jako wnikliwy, kleci kolejne zdanie pytające, ale to gówno jest tak skomplikowane, że nie wiem jak ugryźć, po omacku wymijam rzucone pod nogi kłody, a oni opuszczają salę bez skrępowania, szarpię się jak ryba, próbuję wejść w rolę, szczery, prosty chłopak, James Dym, chcę to jakoś zaczarować, ale on widzi, że nie ma sensu, wszystko się kończy i każą przeczytać fragment książki.

To jest stały element krajobrazu, z tym czytaniem fragmentów, ale ja też stałe fragmenty mam opanowane, więc nie czytam, wchodzę w kryg, że *a z której książki*, a potem, że *nie lubię czytać swoich rzeczy*, a potem, *że brak u mnie dobrej dykcji, a bez dykcji to jak bez ręki*, a potem, *że nie jestem zadowolony z osiągniętych rezultatów*, a on cały czas, *prosiema, prosiema*, bo to jest stały punkt programu, aż wreszcie widzę, że ta mała też się jakby uśmiecha, że *prosiema* i wtedy dopiero biorę i zaczynam recytować coś z pamięci, chcę zabrzmieć jak dzwon, oto Lenin deklamujący manifest lipcowy, ale idzie to raczej w piski, więc zaczynają się ostentacyjnie wykruszać, nagle wstaje gość we włóczkowym garniaku, pewnie wariat-frustrat, tu się musi jakieś kazirodztwo odbywać, niskobudżetowe *Twin Peaks*, zawsze się jakaś menda znajdzie, daj palec, zjedzą mózg. Za dużo pan słów wulgarnych używa, mówi toto, i jeżeli tak to się ma dziać, on wychodzi, uszy już więdną, i to jest jeszcze wszystko za pieniądze podatnika!

Na co ja, że sztuka, wolność, polański, na co prowadzący przerywa, że na pytania od publiczności jeszcze przyjdzie czas, ale teraz chciałby podsumować, ale nie dają, gorączkowo się robi, co wcale nie leczy atmosfery, ledwo się trzymam, myśl już na zewnątrz owładnięta lokalną pianą.

Proszę zadawać pytania pisarzowi, proszę się nie bać, pisarz nie gryzie, inteligencik zrezygnował z podsumowania, pańszczyzna odrobiona, co za frajer.

I właśnie teraz, kiedy powinny paść pytania, nie ma ich, całkowita odmowa udziału, to jest znamienne, więc choć żenada po raz kolejny, to mimo wszystko dobra nasza, bo szybciej skończysz to gówno człowieku, zacieram ręce, rezon wraca, staję do pionu jak wańka-wstańka i powtarzam coś, że *no naprawdę miło tu, miałem okazję odbyć krótki spacer przed spotkaniem i muszę przyznać, że jestem zaskoczony urodą tego miejsca, jest tu tak dobrze, że postanowiłem zapisać swój mózg wyższej szkole pedagogicznej, która mieści się w tym mieście..*, to jest chyba prowokacja z mojej strony, a może wkręciła się jakaś surrealna chemia i zaraz zacznę nawijać o bliskich kontaktach trzeciego stopnia, grunt to zapaść w pamięć, teraz wyjdą i zaintrygowani ruszą do księgarni, tak się to kręci i tak sos zmienia właściciela, dobrze naoliwione społeczeństwo, wzrost gospodarczy, po prostu łańcuch pokarmowy.

Podnoszę się z miejsca, bo chyba finito, ktoś zaczyna poklaskiwać czy pokasływać, wtem głos, że nam, młodym to się wydaje, na co ja, że ja nie taki znów młody, jak się może wydawać, ale nie słucha, że wszystkie rozumy zeżarte!, próbuję się wbić klinem, ale nie puszcza i ciągnie, że kiedyś różne rzeczy robił, w powstaniach brał udział, żydów ukrywał, walczył, śledził, pomagał, nie dojadał, czerwonych obalał, a potem zasłynął w kulturze i że zna wszystkich najważniejszych, cześka, wiśkę, staszka, romka, no i andrzeja, i to są prawdziwe wartości, to co oni chcą przekazać, a to, co my, młodzi, proponujemy, to jest właśnie czysta pustka, czyli nihilizm.

Co mnie w tych dupach spotyka!, chcą zaszczuć człowieka, pozbawić praw, ale nie rozkręcam tematu, tylko raz jeszcze, tym razem głośniej, że bardzo tu u was fajnie, wspaniała, żywa dyskusja, że z pewnością chciałbym wrócić, że przyjadę i przywiozę nową książkę, i znowu się spotkamy, i pogadamy nawet do rana, tak to ubieram i zerkam na młodą, rzuca przelotne spojrzenie, podnosi się i wychodzi, za nią reszta, wariaci, widzę, już się czają na korytarzu, specjalnie opóźniam krok, nawet zbytnio nie trzeba, bo łapie mnie dyrektorowa i wręcza jeszcze uroczyście ilustrowaną historię miasta oraz list z gratulacjami od burmistrza, ktoś to z boku fotografuje, tak zwany kronikarz.

Wspaniały album, doskonałe ilustracje, piękne ujęcia, od dobrej strony tu was pokazują, mówię i chcę dodać, że cudowna to jest dla mnie pamiątka ze stolca-zdroju, ale nie dodaję, tymczasem dyrektorowa spełnia obowiązki, niech pan patrzy, prawa wiejskie, prawa miejskie, wydobycie soli, siarki, gazu i metali, to ratusz, basen, sala gimnastyczna, a to projekt boiska. Acha, acha, no pięknie się tu u was dzieje, w tym kłońsku.. Ale to jest płońsk, mówi, lepiej nie drażnić przed wypłatą, bo widać, że wyczulona na nazwy.
Tak, tak, płońsk, taki dowcip, w każdym razie pięknie, mówię, sprowadzam na właściwy tor i mam ochotę poklepać ją po ra-

mieniu jak towarzysz gierek, sto procent normy, towarzyszko,
a teraz pokaż, gdzie wyżera.
Europa, w końcu europa!, mówi udobruchana, zresztą kto
ją tam wie.
Mam nadzieję jeszcze was odwiedzić, mówię jak papież.
Tak, tak, koniecznie, prosimy.
Nigdzie indziej tak wspaniała atmosfera, to niesamowite.
Gość w dom, bóg w dom.

I nie możemy się pożegnać, ściskamy dłonie, potrząsamy nimi,
sobą, co wzmacnia więź i jest gwarancją współpracy w przyszłości, potem rozdaję autografy w liczbie dwóch, jeden na
jakiejś książce zastępczej, bo akurat nie ma mojej, a drugi na
karteluszku wyrwanym z kalendarzyka małżeńskiego, ktoś
jeszcze podchodzi, wymięty sweter, twarz wypisz, wymaluj
zaburzenia osobowości i czy znalazłby pan czas, by rzucić
okiem?, bo napisałem, ale nie wiem, czy to.., a chciałbym
wiedzieć.., co mam o tym.., co myśleć o sobie, czy już pisarz,
czy jeszcze starszy aspirant.
Tak, tak, mówię, ale schodzę z linii spojrzenia, bo wieje para-
noją i ziarna kosmicznego zakrętu sieją się w chemii.
Najważniejsze być otwartym na świat i pisać, pisać i tylko pisać,
to najważniejsze, żeby pisać, mówię, i jeszcze, że oczywiście
zajrzę, doradzę, zawsze z chęcią pomagam i już idę, byle dalej,
bo roślina chaosu puszcza czarne kiełki.

Ktoś z boku wciska miejscowe pisemko, kwartalnik literacko-
-jakiś z czymś, błoto na okładce, kolaż bełkot, pustka, i jeszcze
pamiątkowy wpis dla czytelników biblioteki, zdanie oznajmu-

jąco-zachęcające, gasną wreszcie światła i mikrofony, idziemy na zaplecze i jak już jesteśmy, podchodzę do kobieciny, do tego robota bibliotecznego.

Nie musiała pani tego robić, mówię, lekko, na wesoło, żeby nie brzmiało z pretensją.

Przepraszam, ale czego?, mówi i głupota wylewa się z oczu jak mleko z dziurawego worka z mlekiem.

Zdradzać mojego prawdziwego nazwiska, mówię i znów ten dowcipny pląs, a nawet tik, nie po to ukrywam się pod pseudonimem, żeby.., wie pani, o co chodzi.., mówię, jakby tak wszyscy, na każdym spotkaniu, przecież takie rzeczy idą w świat, gdyby się ekipa z bloku dowiedziała, malowany ptak, wiesz, o co chodzi?, gorzej niż pedał.

Po prostu cytowała z wikipedii, łże i znowu maślanka w głazach.

Marzy mi się, by zjadliwie podsumować, ale staję na uśmiechu, bo widzę, że sięga po umowę o dzieło, czyli robot wielofunkcyjny, w tym księgowa.

Pod umową koperta, intryguje mnie, ile wyjdzie bez podatku, ale też dobrze byłoby, gdyby zapłacili za mózg, więc mówię, czy nie dałoby się za to zainkasować jakiejś zaliczki.

Zaliczka za mózg?, jaki mózg?, za plecami wyrasta dyrektorowa i jeżeli przed chwilą była wyraźna, to teraz już tak nie jest.

Ten, który chciałem ofiarować waszemu miastu, mówię, a ona pęka jak drzewo potraktowane ogniem z nieba.

Niech pan idzie w cholerę, pan jesteś pijany!, skandal, cynizm, krakówek!

Łapię ze stołu kopertę, napycham gębę suchymi ciasteczkami, po wieczorku autorskim mały autorski podwieczorek i znikam po angielsku, bo to jakieś straszne chamstwo to miejsce!, na schodach koleś z obsługi o coś pyta, nie słyszę, bo z kibla wychodzą trzpiotki, próbuję naraić na szybko, hej, dziewczyny, chcecie poznać, czym jest życie u boku artysty, ale ryba rwie się z wędki, dobra, mówię, idę, biorę i wychodzę, na zewnątrz w krzakach zaczajeni wariaci, więc wypieprzam do kosza wypociny kolesia, bo intuicja ślepego poddaje ocenę, grafomania jak fiut, a intuicji, wiadomo dlaczego, warto słuchać i ruszam wyjściem ewakuacyjnym w noc.

Europarty

Ogień, jak wejście smoka, pokazałeś im człowieku gdzie raki zimują, rozpoznany jako wizjoner, bezpardonowiec, choć i lew salonowy, to się właśnie takie sytuacje przekładają na wynik sprzedażowy, pani księgowa śle laurkę, kwartalnik *Rozliczenie*, der hajs in plus i już nie suchy chleb, ale chlebuś biały z wiejskim masełkiem, szuflada pełna dobrych lekarstw.

Także nie jest to takie złe z wypadami do różnych dziur, ale też człowieku żadna książka nie zeszła, czyli niewdzięczna prowincjonalna masa, program *Chocholi taniec*, skąd my to znamy, chcieliby człowieku wskoczyć na level up, przekroczyć próg i obcować z nowiną w wersji hd, wszystko, byleby nie puścić kamony, co?, nażreć się, ale nie posmarować chlebka bliźniemu, nie, nie, nigdy tu już nie powrócę, to z pewnością tak się stanie, źle to od początku się zapowiadało, od kiedy stanął skład; ubóstwo, brud, wódka, zleżałe pornosy, zety przy budce, mordy na ławce.

I to nie jest nawet hotel, w czym jestem, a ponoć gwarantowali, to akademik z pokojami dla asystentów, drobne prze-

róbki, podróbki przeróbek, standard minus dwa, niby świeży ręcznik i *do not disturb* na drzwiach, tymczasem nie trzeba
otwierać szeroko oczu, smutna nora z wygniecionym wyrem,
przykryte prześcieradłem dla niepoznaki, idę o zakład, ma-
terac przeszczany na wylot, obok stolik z powyłamywanymi
nogami, zatacza się jak pijany, krzesło z rozłupanym opar-
ciem, szafa nie daje się domknąć, w środku trzy drewniane wieszaki, obrazek na ścianie, czerwona plastikowa rama,
fragment sobieskiego pod wiedniem z samym sobieskim bez
wiednia, a zatem pewien wycinek prawdy, ale to nie koniec,
bo umywalka na zewnątrz, sroc gdzieś wśród ciągnących się
jak jelita korytarzy, papieru naturalnie brak, zanieczyszczona
żółta deska, zaplamione wydzielinami lastriko, na ścianach
ciemne, brązowe kafle, ohyda, tak zwany kwartał w akade-
miku, czyli czysta kpina, zapomnij o śniadaniu rano, to nie
ten film.

Tak już nie będzie, że jajeczka na miękko, jajka po wiedeńsku, jaja sadzone na szynce, jajeśnica z bekonem, bekon so-
lo chrupiący, kiełbaski, mortadelki, salamki, miniserki, różne
plastry, wędlina do wyboru, do koloru, pasztety, pomidorki,
ogóreczki, warzywa sezonowe, koszyczek z pieczywem, można
to podgrzać, opiec, przejechać masełkiem, doprawić dżemi-
kiem lub miodkiem, dalej jeszcze mleko, płatki, chrup-chrupy czekoladowe, chrup-chrupy cynamonowe, chrup-chrupy
truskawkowe, musli z orzechami i z innymi, sok w wysokim
dzbanie, dwa egzotyczne kolory i jeszcze kawka, herbatka,
owoce i deser, ciasteczka nadziewane humusem, skończyło
się, amen.

Aktualnie turnus w szpitalu wariatów, ale i ten sezon w piekle się skończy, bo zawsze się wszystko kończy, a teraz już idziesz szukać rozrywek człowieku, weź kąpiel, bo potrzebujesz odświeżenia, więc chcę wziąć, ale woda jest letnia i to trzeba jeszcze czekać na to, żeby jako tako ciepła, tak że stoję goły jak ten fiut po kostki w lodówce, ciepła, o to się idę założyć, nie może uciągnąć tu na piąte, czyli prawa fizyki.

To są rzeczy z ciśnieniem, mówi potem koleś na dole, recepcjonista.

A ja, że oczywiście nie ma problemu, ale problem jest, bo mimo wszystko powinny istnieć jakieś standardy, bo są pewne granice, których nie można przekroczyć, a wy traktujecie człowieka jak ostatnie bydlę, mówię, ale widzę, że tu się gra znaczonymi kartami i nie ma sensu w to wchodzić.

Dlatego dobrze, że byłeś na spotkaniu ostry człowieku, taki surowy tata, trochę pożartować, trochę połajać, ale generalnie widać, że papa kocha i jeżeli krzyknie, to w celach wychowawczych, takiego ojca się szanuje, bo taki ojciec to jest skarb nie ojciec, choć z drugiej strony mogłeś im człowieku, psychotubylcom, rzucić na koniec miazgą, małe show, pawian alfa pokazuje klejnoty, zero kompromisów, ojciec, a zarazem błazen, jeden poniża, drugi obnaża, obaj jak drogowskazy, i czytelnictwo zwyżkuje, wespół z wynikami sprzedaży.

Żarówka się chyboce, żółta struga światła jak namalowana tanią farbą, mrokiem ciągnie z kątów, ekologia wymuszona ekonomią, kokon wokół ciała, wilgotne skrzydła ptaka, z sufitu lampa jak pętla, podnoszę się szybko, uch, uch, trzy przysiady, rozkrok, i ramiona pracują, raz, dwa, trzy, afirmuj, i raz, dwa, trzy, afirmuj, krok w bok i jestem w oknie, firana chyba z gnijącej panny młodej zdarta, daleko na horyzoncie wielka wyrwa w ziemi, szukają, szperają, wyciągają, rozprute trzewia matki.

List z gratulacjami od burmistrza, *w imieniu miasta i swoim chciałbym wyrazić..*, dobra, dobra, chuja was to wszystko obchodzi, prawdziwa sztuka i dziedzictwo narodu, targam to *w imieniu miasta i swoim chciałbym wyrazić..* i siup do kosza, ale wyciągam, ktoś to może znaleźć, ściany mają uszy, wzgórza mają oczy, są wśród nas bracia usłużni wobec społeczeństwa, nieraz już tak było, wypiłeś człowieku co nieco i od razu leci w eter, ostatnia szmata, ochlejtus, przejarus, rucha wszystko w zasięgu ruchu, targam to *w imieniu miasta i swoim chciałbym wyrazić..* na drobne kawałki, idę i wrzucam do kibla, nie spłukuje się to gówno, białe płatki z błękitnym podpisem burmistrza wirują w wodzie, wyjmuję to *w imieniu miasta i swoim chciałbym wyrazić..,* i wkładam do woreczka, jutro się to na dworcu wyrzuci, nie można zostawiać śladów.

Telewizor mały, a po imieniu miniaturowy, typ kineskopowy, kwadrat dla asystentów, doktorantów czy innych, sięgam dłonią, o pilocie zapomnij, skaczę po kanałach, tylko dwa, pierwszy i pierwszy zaśnieżony, wyłącznie katastrofy, turn off ten syf, ściany napierają, skomasowane westchnienia czterdziestolecia, ochy, achy, buchy, bęcki, może trup, na pewno bad trip, jeszcze chwilę i wyniknie z tego lśnienie, także szukaj już siekiery.

Długi prysznic, woda wyletnia się w postępie geometrycznym, aż wreszcie czyste rwące skórę zimno, zwalczam pokusę, stoję, ziąb do szpiku kości i włącza się rwa jak pocisk, ciągnie po całej nodze, paraliż, kurwa!, kuśtykam owinięty ręcznikiem do nory, mokre ślady na czarno-białym lastriko jak krew, wślizguję się do łóżka, lepki koc w białej kopercie, wpadam między sprężyny, ciepło wraca powoli, zmora bólu odchodzi, sięgam po prasę, którą mi tu sprytnie podsunęły te miejscowe artyściny, próbuję od każdej ze stron, z tyłu, z przodu, wzdłuż, wszerz, ale z trudem wchodzi ten bełkot, może i nawet ulepione, czuć w tym lata dobrze spożytkowane, studia może wyższe, nawet erudycja, bo rodzynki aforyzmów i świetne frazesy, wyciągam notatnik i czerpię, bo pewne rzeczy można przekleić, tak zwane prefabrykaty wielokrotnego użytku, słowa.

Uformuje się to, przeinaczy, przepuści przez maszynę parafrazy pod gazem, w najgorszym razie zadrwi z prawd, jakie przez to gówno prześwitują człowieku, sukces wisi w powietrzu jak smog, *The Great Book of Frazes* na każdej witrynie, i już jestem w ogródku, wchodzę na okładki, wszędzie wywiady, ale nagle na drodze stają mądralińskie cipcie z dodatków kulturalnych, urojona ciąża recenzji, wyrabianie pańszczyzny, zero emocji, buła od tysiąca znaków, po cipciach jeszcze cała machina, interpretatorzy, trendsetterzy, adwokaci demonów wojny, moloch rynku wydawniczego, statystyka, wyniki sprzedażowe, rankingi, załapują się oni wszyscy potem, na koszt pisarza, na różne ciekawostki, płatne seminaria, słodka kaweczka na kongresiku, stypendia za zachodnią granicą, skończyły się czasy prawdziwych ludzi człowieku, wiesz już teraz, dlaczego woda była zimna?, a ty tu jak ten ostatni sprawiedliwy, sam gegen alles, prawie mad max.

Na domiar złego mucha, suka tłusta jak świnia i lata niby ospale, ale ucieka, próbuję zmiażdżyć zwinięta prasą, bęc, ucieka, siada, ucieka, zbliża i ulatuje, droczy się, nie, nie, w ten sposób się bawić nie będziemy, won, rozkazuję jak władca much, ale ona lata i lata, siadam bez ruchu, trumna pokoju napiera, przegnite deski, wilgotna gleba, może zaleją mnie tu betonem na żywca, ale jeszcze nie dziś, więc wychodzę jak oparzony tą skiślizną i dopiero na dole, na parterze, w lustrach wyjawia się tajemnica, że nie ten podkoszulek, nie wyjściowy, ale domowy, pamiątka from paris, wieża eiffla ze złotych kryształków na piersi, serce i fajerwerki, otwarty szampan jak fiut, czyste pedalstwo, skąd to się tu wzięło?, 90-te, tandeta, ręcznik frotte z gołą, cycatą lalą na koniu, zapinam poły kurtki, stara, dobra, sprawdzona emsixtyfive, wszystko wraca do normy; to znów on, to znów on!, jasiu pratera w drodze do przerębli, a jak najdzie mnie ochota, to sobie upierdolę ucho jak wangok, a nawet zjem.

Na dole pytam o wodę, dlaczego letnia, a potem jeszcze o nocny, ale tu w tym obszarze zabudowanym nie ma nocnych, tylko stacja benzynowa, wśród niej taksy, to gdzie stacja?, będzie z dwa kilometry, więc hokey, spacer nocą przez obrzeża, krzaki, chaszcze, dewastacja, potencjalnie zwłoki w rowie, bloki na wzgórzach, żółte światła termitiery, fallus tu nocuje, z kolei na stacji promocja, jakbyś nie liczył, wychodzi, że do dwóch puszek dodają trzecią gratis, jakiś zgrabny hit w tle, *świat mię-*

dzy wierszami największy ukrył skarb.., i zgadzam się z tym tak bardzo, że aż potakuję, a nawet chyba gibam się do taktu, ale to jest raczej efekt krzywego zwierciadła, w rogu przy suficie tafla jak soczewka boskiego oka, kamera z drugiej strony, jest problem z kartą, nie przechodzi, staje w gardle, dopiero za trzecim razem urządzonko pierdzi, w końcu z czytnika wstęga rachunku, a za plecami niecierpliwa kołtuneria, nie ma przelewek z małpami, dziękuję, reszty nie biorę, wychodzę, oddalam się na stosowną odległość, opadam na murku tuż za myjnią i wreszcie, uch, możliwość podrasowania chemii.

Po jednym już lepiej, wchodzi jak w masło, bo na pusty żołądek, jest miło, sen nocy letniej, zmarszczki na księżycu jak od buta astronauty, ciskam puszkę w krzaki, strzelam paznokciem, festiwal open air, ciągnę wolno jak smakosz, nie jest dobry ten miejscowy wynalazek, ale za to w korzystnej cenie i dlatego daje radę.

Może z tym wszystkim nie jest tak źle i dziura pokaże drugie dno?, siedzę i sączę, na podjeździe locha, desant z niej dup, wszyscy w kierunku europarty i nagle do chemii dociera, że miasto pulsuje jak przestrzeń pomiędzy neuronami, której ktoś zaaplikował przyjemność, nie biorę taksy, do centrum?, prosto asfaltem, każda z drożyn prowadzi do środka, skrót przez osiedle, ścieżyna w ciemnościach jak ścieg, wilgotny las zwrotnikowy, plastikowa gęstwa, dzikie węże zwisają z drzew, to wierzby płaczące, tagi na murach, odziane w błoto bloki, jest dziś meczyk chyba, blada stroboskopowa poświata, zza ciężkich firan żar ciał, miarowe wycie, uuu!, uuu!

Osiedle skończone, teraz parterowy budynek, dyskont, fryzjer, apteka i klub Wasza Klasa, różne ciekawe drinki, browar za czwórkę, sounds like coś dla mnie, ale nie, czuć lokalizmem, przez szybę tłok, ciżba modląca się do plazmy, małe ludziki biegają za punkcikiem, walę dalej, wkrótce pojawiają się bielone panelami fasady i pierwsze zabudowania eurojarmarku, w samym środku wtórny rynek, nie wchodzę w podryg, na scenie zespół kobiecy, są wśród nich niezłe kicie, w końcu ruchy, dalej, bo włącza się głód, prośba o lot, a może seta na szybko?, w sklepie kolejka jak za komuny, więc przyjmuję coś z polowej pipy, trzecie oko otwiera się jak kwiat paproci i zapada dekret, zapakuj w jelito to mięso w szmacie, które tu serwują w budce, zmielona rogacizna ocieka żółtym tłuszczem, amalgamat dziwnych sosów, wykapuje na zewnątrz, toksyczna ohyda, ściema, dotyk lewiatana, no chyba się tu wam rozpłodowy byk nie pojawi, jak wy takie przysmaki serwujecie, wieszczę to miejscu jak jezus, który skarcił drzewo oliwne.

Baloniki, wstęgi, kokardy, masowe sprzedawnictwo podciąganego wódą browaru i ja, kometa przelatująca przez galaktykę party, który jak czegoś zaraz nie zrobi, to się rozklei jak kartonowy samochodzik, więc rozglądam się, nurkuję w tłum, stawiam ślimacze czułki, gdzie tu odchodzą miejscowe dile?, głód ciąga po bramach, na każdym podwórku fiesta, tu malują twarze, tam uczą segregacji, ponadto fire show, żonglerka, katyniarze, głównie chleją w podgrupach, gdzieś tam coś zaleci bajkami konopnickiej, ale żadnego dilucha, więc węch mnie wodzi za nos?, nie rezygnuję, wbijam się, może w końcu uśmiech losu i znajdzie się ktoś, a wówczas prosto z mostu, *hej, no hejka, siemanko, można się podłączyć?*, i o ile nie będą to jakieś miejscowe weredy, to dadzą się sztachnąć, a jak się będą wahać, to jeszcze *no hej, hej!*, *bo wiecie jestem z krakowa i nie znam tu ludzi, ale chciałbym poznać i w ogóle zapraszam do mnie*, to już nie ma siły, żeby nie zadziałało, zaproszenie do miasta królewskiego, i o ile nie są to jakieś miejscowe buce, to dadzą, ale nic się takiego nie dzieje, bo nigdy nic takiego się nie dzieje, stoją jakieś grupki i dzielą się, ale nie wiem czy wódą, czy czymś innym i nie mam odwagi podejść, jestem jakby niedzisiejszy.

Nagle znów brzęk, coś dziś wszystko nagle – wśród tłumu ta mała, *stoję na ulicy z nią*, wieczorek autorski, trzeci rząd po lewej, ruszam śladem tyłka jak hannibal lecter, ale tłum odurzonych jest zbyt duży, wielkie fale mieszają się, cofają, przypływ i odpływ sterowany stroboskopem księżyca, mała znika z oczu i w peryskopie pustka, więc z głupia frant, z braku laku zapuszczam się w zaułek, bruk ciągnie się za mury, chodnik, wybrzuszone płyty, z przodu wyrasta antyzamek, ponury kwadraciak z wieżyczkami, może barok, może zwykła bryła, miejscowy klejnot i ona tam przed wejściem na dziedziniec, twarz trochę w podcieniach.

Dzień dobry, witam, cóż za siurpryza!, mówię jak czarodziej Oz.
Na razie nieufna, boczy się, *co do kurwy* na pyszczku jak malowane, ale u mnie takt jak u starszego brata i wreszcie zaczyna szczebiotać, gaworzymy o powstającym właśnie utworze, nowym, świeżym spojrzeniu, wreszcie ktoś ma jaja, żeby coś

w ten takt, odważnie i tak dalej, że jak ty znajdujesz czas na to wszystko, tyle różnych rzeczy i jeszcze podróże!, a ja na to, że przejebane, bo to wszystko powoduje, że brak czasu, żeby żyć i czuję, że między nami coś pękło, może nawet zwrot akcji i ona już wie, że to nie jakieś ciepłe popierduchy, ale pierwszy skatolog kraju we własnej osobie, w środkach nie przebiera.

No przejebane, przytakuje i sam nie wiem, jak to traktować, czy na tak, czy na nie, ale żywię nadzieję, że jakoś łączy nas to *przejebane*, że wujek pisarz i ona trzpiotka tak se lecą z grubej rury, w tym momencie wychodzi z podcieni i nie jest to renesans idei oraz kształtu, z bliska, w pełnym świetle to nie ta, z którą dzieliłbym łoże i bułę, a nawet gorzej, łojotok z doklejoną tapetą, rzęsy sklejone mazidłem, choć usta czerwone jak syrop z malin, ale nieoczekiwanie, być może zwykła fiksacja chemii, bo wytwarza się sztuczny nakręt, że ale dupa, co za towar, dobra, bo młoda, sam sobie wklejam, że to TA dziewczyna, idź z nią w długą człowieku, pij dyktę, wal po kablach, oddaj się kiblom, gnij w norze wenery, więc prowadzony na postronku rui rozwijam złotą sentencję jak nić w labiryncie, prowadzę za uzdę prosto, ale też rozrzucam wokół jagódki, żeby kapturek oddał się bestii, M65 robi swoje, *taxi driver*, szaleństwo w oczach, ale takie przyjemne, szczere szaleństwo.

Nie wiesz może, czy ktoś tu coś by miał do wiesz, mówię i pokazuję, że biorę dyma, pantomima ma sens, ona też by z chęcią coś, więc prowadzi do kumpli w głębi, tu w cieniu fiesta, dzieciaki, zwierzaki, karuzela, w piwnicznych grajdołach siedzą jacyś, miejscowe chłopaczki we wczorajszych butach, ultrasglobaliści, przeciwpoeci, antyartyści, protofrustraci, niedoszli ekonaziści, wchodzę w to na szczęście dobrą nogą i od razu śmiechy, bratanie się i walenie miejscowych fikołów, wkrótce wjazd lokalnego zioła, uff, czuję, że wchodzi jak zastrzyk adekwatności, całkiem ładna kadencja, i to jest właśnie to, o'taka chemia dzień cały za wujkiem chodziła.

Jesteście anarchistami?, ja też, mówię, sprężynka puszcza i rozkręcam się, jakbym od tygodnia gęby nie otwierał, pierwszy symptom fazy, ja też jestem przeciw wszystkiemu, na wszelki wypadek, bo nigdy nie wiadomo, czyje będzie górą, co?, mówię, to się nazywa anarchizm umiarkowany ten nurt, trzeba umieć dostosować filozofię do codziennych potrzeb i obowiązków, wiesz, mówię, biorę w płuca łapczywie i przekazuję bata obok, próbują wejść w słowo, lecz uciszam, nie macie prawa głosu, ja tarzan, wy odbiorcy tarzaniny.

Nie mu już sztuki!, jest real artmarket, każda inwestycja musi się zwrócić, dlatego prasa podpiera, hołota dostaje za to granty, tak zwani krytycy, pośrednicy, układ scalony, który wie i obwieszcza, żadne twórcze szaleństwo, ale sprawny marketing, lewe interesy i kumoterskie układziki pod płaszczykiem, a gdzie piękno?, może jestem artystą naiwnym, ale nie aż tak, żeby nie widzieć, jak się to robi!, mówię, jestem chyba błyskotliwy jak sam stary bóg, znowu porządny buch, gówno mocne jak trza, trzymam w płucach jak nurek, faza jak buc, puszczam i próbuję prorokować, że wszystko schodzi na psy, a młodzi nic już nie potrafią, nawet przeklinać, ale nawet przeklinać trzeba umieć, mówię i dociera do mnie, że poddają mnie kwarantannie, więc dla odmiany gram swojaka, chyboczę się, klepię stojących po ramionach i wymieniamy się, co kto zna, co widział i słyszał, wielu rzeczy nie widzieli, nie znają, widzieliście *Kanał?*, a *W kanał?*, absolutna klasyka, wersja cyfrowo zdekonstruowana, obiecuję koniecznie wypalić płytki i wysłać, ale to jest czcza gadanina i skręcam z tej drogi, żeby nie stanęło na tym, że *fajnie damy ci adres* i pojawi się przymus moralny, tego byśmy człowieku tu nie chcieli.

Ej, kręćcie, mówię, następnego i kręcą, aż im się ręce trzęsą, prawdziwy twórca jest skazany na los komiwojażera, mówię, co nie byłoby takie złe, gdyby nie to, że domy, do drzwi których puka, są zamieszkane nie przez napalone, cycate lole, ale zgryźliwe suchotnice, które otwierają się owszem szeroko, ale przed koniunkturalistami, w najgorszym razie hydraulikami.

Jesteś dobrze pokręcony, ona mówi na boku, bo jesteśmy teraz, nie wiem dlaczego, w separacji z resztą, śmieją się tam w grupie w podcieniach, wstrząsane dreszczem dredy, nigdy bym czegoś takiego na głowie nie chciał mieć, brud squot, choroby przenoszone drogą płciową, ultras love peace, że jak nie pokochasz miłości, to po ryju, te typy mają cię w dupie człowieku, stary kacap, kozioł chce usiąść na ich siostrze, nie artysta, ale wujek staszek z bydlinowa, który właśnie zapakował w jelito kawał mięcha, ale to jest człowieku paranoid pictures albo naga prawda człowieku, spaczony moczykij na wygnaniu.

Ale jesteś pokręcony, mówi i biorę to in plus, więc nie przerywam, a sieję ziarno, przepraszam za niedyspozycję podczas spotkania, wiesz, mówię, tak normalnie to inaczej, zazwyczaj każde zdanie kwitowane wybuchem śmiechu, ludzie zachwyceni, autografy, nie można opędzić się od fanów, a potem w skrzynce tona listów *piszę do pana, ponieważ nie wiem co mam ze sobą zrobić..*, jak nie wiesz co ze sobą zrobić, to wpadnij do mnie, pisarz nauczy cię sztuczek i pomoże w pracy twórczej, chcę powiedzieć, ale powstrzymuję się i to może lepiej, bo ona się śmieje z tego *piszę do pana, ponieważ nie wiem co mam ze sobą zrobić..*

Widzę, kręcą tam nowego packa, więc zostawiam ją w cieniu, w tle vegan rap na kradzionych bitach, jakiś młody w obszernych ciuchach puszcza na schodach pawia, tylko uważaj, bo to jest mocniejsze, mówi jeden w czarnych strąkach, nie z takimi tekstami do wilka stepowego stary, ciągnę łapczywie, trzymam, że prawie nie pękam, szum w czaszce, którędy?, kto?, gdzie?, z kim?, gubią się współrzędne, acha, to tu, dziedziniec, neuroeuroprzygoda, promo biblioteka, czeka na ciebie żniwiarz czasu purpurowy.

Niezły staff, święte słowa, białe światło, prawie mówienie językami, house chaos blus bluzg brothers karamazow donieck, nagle pyk, światło wyłączone, siedzę na ławce z małą butelką, a obok ktoś potakuje jak do taktu.
Praawdaa pokazujee mii duupee, mówię, wypijam do dna.
Otwór czarny i bezdenny, mówi, to weźmy chodźmy może lepiej na jaką dobrą bibkę.
Oobra urwaa!, mówię i rzucam flaszką w noc, przemy przez park, a on nawija, że widzi, dużo rzeczy widzi, a przede wszyst-

kim, że ale ty jesteś zblokowany, mówi i jeszcze, że musisz się otworzyć, bo stąd te wszystkie traumy, nurzanie się w bolączkach, bad wibracje, przyciąganie dziwnych ludzi i dziwnych sytuacji.

Otwórz się, mówi, jest coś w tobie, co wymaga otwarcia, co aż o to woła.

Jakaś dzielnica rozpusty i rozrywki nas mija mimo, tak jakbyśmy to my stali jak autostopowicze, a ona poruszała się w tył, w oknach pełne bary, studentki się droczą, pielęgniarki wdzięczą w szklanych boksach, nasienie wisi w powietrzu, ale on prowadzi mnie dalej w otchłań kamienic, chodź, pokażę ci lux party, dopiero zobaczysz imprezkę, bełkotliwy szept jak syreni śpiew i nagle stajemy na granicach pizdozwierzowska, ni to kamienica, ni to blok, ćwierć nawet zameczek, 90-te, architektura-karykatura, podręcznikowy przykład samowolki, stajemy i to ma przynajmniej dwanaście pięter, nie mogę zliczyć, on pokazuje dłonią, że wysoko, na siódmym piętrze, mówi, czyli tam to jest, siedlisko miejscowej rozpusty.

Mam w lodówce wódkę, kolę, orzeszki, kupimy cytryny i zobaczymy, mówi i wreszcie do chemii dociera kazanie o potrzebie otwarcia i typa lekkie przegięcie, acha, stąd chrapliwa z egzorcysty nawijka, dałeś się wpuścić w malinowy chruśniak, pachnie to niedobrym dotykiem, usta-usta, penis-penis, i zawisa coś w powietrzu, bo to pedalska pułapka, próbuję to odroczyć, wycofać się jak rak po polu minowym, żeby nie podsumował, że homofob, bo kto wie, kto to, może szycha?, dyrektor miejscowego muzeum tematyczno-narodowego, które za rok dostaje euro koko spoko sos i wyniknie z tego plener stypendialny, literatura, wywiady, kiełbasa, piwko, jezioro, prasa, czyli sukces przez duże victory.

Raz na wozie, raz pod wozem i idziemy do niego, wdrapujemy się schodami oboje nadziewani nadzieją, ja lepszego życia, on jeszcze lepszego, pełniejszego, nawet żartując z tego wszystkiego, ale w środku, już wewnątrz, jak siedzimy, wychodzi szydło z worka, wódka ciepła, orzeszki niesłone, a kola wygazowana, świat nie taki, jak powinien, wreszcie on unosi dupę i pyta, czy na pewno widziałem.
Co?, mówię.
W kanał, na to on.

I ogarnia mnie totalna senność, po zwalczeniu której zostaję zaatakowany przez sraczkę.

Safari

Tylko, mówię, nie przysyłajcie żadnego fotografa. Wbijają mi tu do nory takie niby miłe łebki i od wejścia w ukłonach, w tyłek jak czopek, że artykuł sylwetkowy, więc czym chata bogata, a potem rób z siebie małpkę człowieku, to niech pan złapie tą gałąź i weźmie do ręki banana, a może książkę czy fiuta?, a teraz hop-siup podskok i pawian omega udaje, że czyta, że pisze, że czyta, co napisał, albo że pisze to, co przeczyta, a teraz niech pozoruje, że coś robi, niech się nachyli i pozuje, że zwraca, scena rodzajowa, ujęcie z szerokiego, zejście, czyli polskie californikacje, kamera, akcja, gramy.

Koncepty z dupy, olśnienia pod jarzmem chwili, a każdy jeden, choćby nie wiem jak spocony, ledwie zdusi migawkę, to zaraz, że jeszcze uśmiechu trzeba, pan się czasem uśmiecha?, skwaszeni to nieładnie potem wychodzą w wywiadach, źle się to przekłada na wynik, ludzie, zdradzę panu, lubią obcować z człowiekiem sukcesu, a człowiek sukcesu się uśmiecha, pan przecież wie, pan studiował ekonomię.

Acha, łapiesz mnie za popyt, dobra, przypinam uśmiech, ale

wycieczka tu się nie kończy, potem trzeba autoryzować małpowanie, ten bełkot opatrzony zdjęciem, bo obrobią, przeinaczą, splugawią, tak że mówię: dzięki, żadnego fotografa, dość tych komedii, ludzie chcą prawdy, prawdy nieobrobionej, nawet prymitywnej, ale nieskażonej efektami i biorę aparacik w prawą dłoń, odwracam obiektywem, wysuwam na wyciągnięcie ręki i bach, fota, jedna, druga, trzecia, nikt tego lepiej od ciebie nie zrobi człowieku, oto model i modelujący, twórca i tworzywo, a nawet odbiorca, idealna trójca, całkowite dopełnienie, prawdziwa dogma.

Coraz się bardziej w tej roli spełniam, sylwetka wyłania się z tego dokładniejsza, to prawdziwy teatr poklatkowy, ujęcia w większości, z ręką na sercu, chłam, ale są perełki, całkiem dużo niezłych, piękne kadry, portrety magiczne, od typowych gównoprasowych, autor przy pracy, bez pracy nie ma kołaczy, aż pora na odwyk, czyli autor wyłaniający się z kąpieli, to znaczy apollin, potem się to ładnie obrobi, podbije, diabeł tkwi w szczegółach, shot wprost na front *Zdrowia Mężczyzny*, genialne!

Wycieram się do sucha i wciąż topless rozkładam żniwo na monitorze.
Jesteś niezły człowieku, naprawdę niczego sobie!, tak bym pewnie powiedział, gdybym nie był sobą i właśnie się zobaczył, mówię.
Mógłbym zwariować na tym punkcie, to jest genialne, nowa jakość, digital foto diary, forma implikuje treść, prawie jak arcydzieło, mówię.

I dalej równia pochyła, ruch jednostajnie przyspieszony.

Pocałuj mnie, mówię.
O nie, jeszcze nie teraz, pobaw się ze mną jeszcze kilka chwil, mówię.
Słodko cię widzieć takiego.., odwracam się od siebie, prze-ciągam moment.
Tak?, mówię, wymuszam komplement, jakiego?
No wiesz, tak błogo jak bóg, insygnia władzy, klejnoty, ba-tuta, w ten sposób będziesz dyrygował tłumem jak bracia paderewski.
Jesteś miły!, mówię, bo widzę, że brzuch jak wrzód, tłuszcz, fałdy, ale on-ja jest zapatrzony i gotów spełnić każde życzenie, to się nazywa porozumienie ponad podziałami.

Kocham cię, mówi.
Kochasz?, mówię, bo nie chcę uwierzyć, że to spełnienie, czyli niekończące się zachody słońca, kolacja przy świecach, taras, alkohol, sex.
Kocham bardzo, bardzo..
Na pewno?, mówię, ile razy sparzony, sponiewierany, odrzu-cony!
Pocałuj mnie, mówi.
Kochanie.., mówię i sklejam się z taflą ekranu, czuję każdy fragment mego-jego ciała, każdą maleńką krostkę, dotykam mnie-go wszędzie, pieszczę się-go ustami, doprowadzam do szaleństwa, to jest really crazy man!

Finał przetacza się jak huragan, ląduję bezpiecznie, wycieram ręce w papierowy ręczniczek, reszta wilgoci wtarta we włosy jak żel, uch, wreszcie ze sobą pogodzony, może zakochany, to się wydaje nieprawdopodobne!, a przecież mogliśmy się wcale nie spotkać, cóżby się wówczas z nami stało?, głupia, stracona na czczej bieganinie młodość, ale dojrzałość dojrzała, stateczna jak miecz.

Wybucha chemiczny romans, dwie połówki jednej pomarańczy, która się pośród chaosu odnalazła, na początku płochliwi jak szczenięta, krótkie spacery rączka w rączkę, kwiaty, nieskończone telefoniczne pogawędki, ale wkrótce żar namiętności chłonie jestestwa, miodowy miesiąc, szampan i truskawki, przez dwa tygodnie nie wstajemy z łóżka.

Zalegalizujmy nasz związek, mówi, oczy pełne łez, jeżeli odejdziesz na zawsze, nie będę mógł dziedziczyć.., kocham go-się, więc walczę, próbuję, wpieprzam się z butami do urzędu, ale to niemożliwe!, w tym ciemnogrodzie, rozbestwiona postkomuna, człowiek nie może mieć się za partnera, lecz mija kilka tygodni i widzę, że to nie było takie złe z tym ciemnogrodem, że biurokratyczna maszyna może i miała rację, a nasza miłość to zdeformowana efemeryda.

Ileż by teraz kłopotu z tym wszystkim, sprawy, rozwody, wojna o majątek, bitwa o spadek, to by się skończyło katastrofą, bo wszystko się wywróciło, ale jeszcze jesteśmy razem, daję mu szansę, pierwsza rocznica, siedzimy przy stole, jak zwykle klimacik, wino, mały torcik ze świecowibratorem, nadchodzi część oficjalna, wycieram ręce w ręczniczek (bez entuzjazmu) i opadam na łóżko, na wpół spełniony, on też nieswój, coś jakby niezadowolony, nie w tą dziurę mu poszło.

Kochanie, co się z tobą dzieje? Nie jesteś taki, jak kiedyś, nie starasz się, mówi.
Nie podobało ci się?, mówię.
Już mnie nie kochasz..
O czym ty mówisz!, mówię, zawsze stara śpiewka, ale jak nie wiadomo, o czym się mówi, to się dupcy o hajsie, i rzeczywiście, bo zaraz, jeżeli mnie kochasz, to dlaczego nie kupisz mi plazmy, ibuka, srutuka, dlaczego nie dasz karty na zakupy?

Mimo wszystko się zgadzam, nie byłem dla go-się dobry, poza tym trzymam morale na pewnym poziomie, nie można zmieniać partnerów jak skarpety, nadchodzi więc era zakupów, kluczymy godzinami pomiędzy półkami, on-ja wybiera, przebiera, droczy się o cenę, trzeba do tego wszystkiego zamówić taxi bagażowe, koszty są pierońskie!, nie stać mnie już na nic dla siebie, sam w łachmanach, bo on-ja, dla jego-mnie, ale kiedy wycieram ręce w chusteczkę, on-ja nadal naburmuszony, jaki on-ja biedny, i znów finał bez satysfakcji.

Faza schyłkowa, fotosy nijakie, wychodzą jak szydło z worka, on-ja, żaden tam delikatny i wrażliwy chłopiec, inteligentny kochanek, wspaniały rozmówca, ale obleśny, starzejący się knurotaur, jedyna jego-mnie rozrywka to browary i niemieckie pornosy, rozrzucona, przepocona odzież, puste opakowania po chińskich zupkach, nie mogę tego unieść, widoku go-mnie siebie samego pijanego nad talerzem schabowego, definitywne temu stop.

Walczymy, wariujemy, podkładamy se-se świnie, rzucamy kłody na stopy, dwie nierozłączne drogi rozczepiają się jak poddana traumie psychika, od miłości w nienawiść, choć nadal ze sobą sypiamy, sex jest i dlatego instynkt zawodzi, bo licho nie kima, on-ja czyni już pewne kroki, pojawiają się adwokaci, trybunał w strasznymburgu wydaje werdykt, winny napastowania siebie samego, prasa chrzci mnie AutoFritzlem!, i mądry człowiek po szkodzie, płacę mu-mi alimenty, utrzymuję gnoja, darmozjada, wypruwam żyły, dogadzam, ale on-ja teraz nie dopuszcza do się-mnie, nie dziś, mam zły okres, znamy te wytłumaczonka, ale patrzę na to przez palce.

Strategia jest zła, daj palec, wpieprzą cały organizm, w domu wkrótce pojawia się trzeci, nie wiem kto, ale czuję obecność przez skórę, próbuję odwrócić się szybko, ale nigdy nie jest to na tyle szybko, by zobaczyć co z tyłu, ale są na to sposoby, w lusterku prawda jak na dłoni, jest ich tam dwóch, on-ja i jego on-on spleceni w orgiastycznym układzie, wręcz to jest satanizm, czarna kamasutra, ohyda, uryna, defekacja, żmija wyhodowana na własnych piersiach.

Stop, mówię, koniec, protest! Liberum veto!
Ale oni, on-ja i go-on-on biorą mnie razem, ludzie, pomocy!, sąsiedzi, te kutasy jak zwykle śpią, chyba się już z tego nie podniosę i gestem ostatniego tchnienia wyrywam się łapom, brzdęk!, zgrzyt!, co to?, gdzie to?, leżę ściśnięty między sprę-

żynami jak burger, hoteloakademik, krótka podróż w czasie, co się dzieje, się co dzieje?, siadam na skraju łóżka jak zmięta szmata i wodzę martwym wzrokiem, ocean maligny, czarne kineskopowe pudełko telewizora, a może by to tak wziąć i wypieprzyć przez okno, tam na sam środek murawy.

I znów brzdęk!, pac!, trzask!, slajd majak, resztki umierającego dnia, mięso w szmacie, tłuszcz ścieka między palcami, mielony opowiada jakąś historię, wylewa się z losu, w sosie nasienie, obok jakiś przyssany, zmarszczony, śluz natarczywych pocałunków, gęsta ślina ścieka pomiędzy palikami zębów, żrący płyn, obcy ósmy pasażer, podczas gdy młode dupeczki tańczą w akwariach, drganie tyłków, gęsty bit, w dredach filtry po petach, ognisty podmuch, w lufie kometa.

Nagle siup!, skok jak przez wielki płot, wręcz upadek ze schodów, złamanie lustra wody, błona pęka i łapię tlen jak ryba wyrwana otchłani, to tabor, przykucam na skraju, obok panoszy się człowiek tak wielki, że nie mieści się na swej połowie, na garbie katana niebieski zamsz, siatka z wałówą pod łapą jak bochen, patrzy w okno jak trup, napieram ciałkiem, sygnalizacja niezdrowego położenia, pewnie podczas drzemki zepchnął mnie na pozycję straconą, bo spadam prawie z ławy.

Ława w czerwonym skaju, gdzieniegdzie ślady po kiepach, ponacinane nożem obicie, serca przebite strzałami, kutasami, echa wielkich namiętności, zapieram stopę o podstawę fotela, pcham, ale nie raczy zerknąć, zbyt wczesna godzina, może wciąż w porannej apatii?, gdzie słońce?, nie ma, pchamy się przykryci spleśniałym kożuchem, sina zawiesina mgły, na niej słoneczna poświata jak mocz, na domiar złego dość ciepło tu w tym wszystkim, ale nie zdejmuję kurtki, gdzie by powiesić?, zaśniesz, zajebią, zjedzą, toż to kultowa m65.

Siedząca naprzeciw uwiesiła złe oko, wilczyca ilsa, wyprostowana jak spod igły, może wymusztrowana przez Wielkiego?, pasują do się jak ulał, ten gest wzmożonej czujności, ściśnięte siaty pod pachą i nagle zimny prysznic, kurwa, gdzie plecak, gdzie wszystko, gdzie kurwa kapucha, serce prawie w poprzek, trzeźwość w momencie, do pionu jak przemusztrowany, ale rzeczy są pod ławką, wciśnięte, upakowane, niełatwo stąd wyrwać, buła za występ z tyłu w spodniach, uch, aleś mnie nastraszył człowieku.

Normalni ludzie, a ty od razu podejrzenia!, wyrok bez sądu, chamstwo, nieludztwo, najłatwiej sklasyfikować, odsunąć, ale otwórz oczy człowieku, poznaj swój kraj, tak to wygląda, nie klima erste klasse, jajka w warsie, ale kawał prawdziwego życia, obywatele, pasażerowie, skromni studenci, dziewczyny niebogato, ale schludnie, pewnie do pracy, ciężkie dymanie za damski fallus, umowa śmieciowa, bez widoku na zus, uczciwość na twarzach, dwie ławy dalej młoda rodzina, dzieciątko w wózku i matka niby maryja, drugie nieco większe na kolanach dosypia, śpiąc, śmieje się do mamy, tata sprawdza pocztę, sms od kapitalisty, grupowe zwolnienia, opóźnienia, kasza dopiero za miesiąc, smutek, siła, powaga, Siedząca Naprzeciw wyjmuje kanapkę z woreczka i składa go jak serwetę, spożycie z gracją, czysta poezja, okruszki jak białe płatki róży na poły czarnej spódnicy, a ona jak wróbelek, dziób, dziób, dyskretnie do ust, bieda, przestrzeń publiczna, właściwie sztuka współczesna.

Wagony na oścież, nie ma tu boksów, sztucznych podziałów, pierwszej, drugiej, klasa jak trzecia, jesteśmy razem, wielka rodzina, gwar rozmów.. – *jak dzień?, daj spokój, poród kleszczowy..* – ile tu prawdy! – *jakbyś się nie obracał dupa zawsze z tyłu.., prosto w sedno!, czy się gdzieś zaszyć, czy zaszczyć się..,* bez owijania i znieczulenia, *w stringach na posługę do księdza chodziła..,* mięsko!, sam smak, nie gówno, jakim nas karmią, syrop medialnej zawiesiny, gdy tu mówi realny człowiek, więc popatruję, podsłuchuję, łapię co zgrabniejsze zwroty, konotuję dialogi.

Prawda!, jądro!, istota!, entuzjazm i wola życia!, koniec ucieczek w zarośla odciętych kuponów, zapasów z samym sobą w swym własnym życiu, w końcu nie bez parady serce na lewicy człowieku, o boże, ludzie, wszyscyśmy braćmi!, z jednej michy jemy kluchy, w łapach te same łychy, w jakiej żałosnej roli jesteśmy my, artyści – intelektualiści wypełniający druczki i papierki na zapleczach podmiejskich bibliotek, śliniący się na widok paru stów bez podatku, jak nisko upadliśmy, którzy moglibyśmy nieść sztandar przed narodem, wskazywać kierunek i wspierać podczas podróży!

To się, myślę, nawet dobrze sprzeda, przed państwem śmierć śmieci, na całym świecie to lubią, przyglądać się gniciu, a za-

graniczne przekłady to najlepszy sos, opisz to człowieku i prze-
płyń na drugą stronę, dobij do plaż rynków zasobnych w hajs,
dojczland, szwisenland, szwecland, tam już nie jest tak jak tu,
w bajlandii polakowskiego, gdzie to patrzą tylko jak wydymać, wycisnąć jak szmatę, pozbawić praw autorskich, nasrać
na głowę, to się określa rynek wydawniczy, trunki na rautach,
lizanie pały za promocję w mediach, podstolikowa polityka
wielkich wydawnictw.

Spoglądam kątem oka, twarz Wielkiego jak rycina, każda
bruzda – troska, reportaż sam się kręci, Siedząca Naprzeciw
na piersi krzyż, wdowa, pewnie jakiś zawał, choroba wieńco-
wa, cukrzyca, przemoc i telewizja, niszczą ich i eksterminują
podprogowo, zarażone koce, kręcona wóda, parówki z papieru, bracia, trzeba się wspierać!, dziecko, aniołek, blondynek,
milutki, okrąglutki, tupta po wagonie i gęga.

Duszno jak po dupceniu, rzuca po cichu tata, tam, dwie ławy dalej, daję mu znaki, że *ładnieś to ujął*, zarys uśmiechu
na twarzy, on widzi, że widzę i przyzwalam, i jakaś się plą-
cze nić porozumienia, my z jednej gliny; autor i prosty człowiek, sól ziemi, jak przyjdzie czas, staniem razem, by splunąć
w twarz kapitalistom, krytykom, kuratorom, pośrednikom,
insektom, intelektualnej mafii, która toczy moralność i au-
tentyzm.

Zapadam w letarg jak w studnię, znów czyste herezje, ale pozwala przebrnąć przez czas, sprawa jest taka, że nie ma pracy,
więc wszyscy szukamy, znajomy myje trupy, ale ja w to nie

wchodzę, a potem wchodzę, ale najpierw żeby wejść, to piję, a jak jestem pijany, to nie mogę się podnieść i nie mogę wyjść, tracę tę pracę i muszę szukać dalej, aż wreszcie jak z nieba spada koleś z ofertą winogron w grecji, gitara!, wchodzimy, zielone winnice, pijaństwo, plaża.

Jedziemy upakowani w starym blaszaku, telepie się, gorąco, duszno, okna zaspawane i wreszcie, po utarczkach, problemach, zrzutach na benzynę, dopompowywaniu opon, przerwach na papierosa i czynności fizjologiczne, na horyzoncie sławetne ateny, kolebka cywilizacji, wkrótce widać co za ziółko, gówno nie cywilizacja, resztki, szkielety, fragmenty, ulice wokół centrum opanowane przez szlam, dziwki, alfonsi, dilerzy, żebracy, południowy folklor i zarażona igła, sklepy oblepione pamiątkami jak łajno muchami, na wzgórzu spreparowany akropol, miejscowa duma, można go kupić w każdym z wymiarów, nawet w wersji de luxe dla chomika.

Koszary w tutejszych slumsach, betonowe uliczki emanują skumulowanym wrzątkiem, szare zakamarki śmierdzą uryną i zepsutym żarciem, srające byle gdzie bezpańskie osły i gęby umorusanych bachorów, wrzeszcząca południowa hałastra, tanie ouzo w plastikowych karnistrach, pośrednik zabiera paszporty, czekamy co dalej, ponoć wyrabia wizy, ale po co wizy, kiedy w euro nie trzeba?, na szczęście dają żarcie, dużo, do woli, nie jest to nawet takie złe, ale muszą czegoś do paszy sypać, bo dzieje się coś dziwnego, człowiek robi się po tym moralnie apatyczny jak zombie, ale czujny jak głodne zwierzę, szeroko otwarte źrenice widzą więcej, niż przyzwoitość nakazuje, przestaję rozpatrywać niuanse i wchodzę w miejscowe klimaty, chlejemy z tubylcami dużo, za dużo.

Bęc!, brzdęk!, klaps!, oczy szeroko otwarte, film over, znów na powierzchni, świat całkiem możliwy, przydworcowy bar, unoszę chwiejnie głowę, z przodu stół, na aluminiowej patelence rozbełtane jaja, widzę, że ścięte, żółte, białe i pomarańczowe, musi to być jajecznica, próbuję wsadzić w usta, ale jestem niedzisiejszy, ręka unosi się nad stół, podsuwa coś w usta, coś szarego, pasztet, i chleb, no to am, am, za mamę, tatę, panią dyrektor, ale staje w ustach jak glina, piję coś czerwonego z salaterki, może sok z kija czy barszcz?, tłuszcz, fusy skruszonego majeranku, czyżby to szynka?, nie mogę, nie mogę, nie daję rady, odbija mi się, prawie hewt, ale łapię wszystko, ściskam żołądek jak starą cytrynę, przechodzi w dół, zgaga kurewska, zapakuj to lepiej do plecaka człowieku, weź ze sobą, bo ockniesz się w pociągu i będzie jak znalazł na kaca, chemia wróci do normy, uch, pakuję wszystko do środka, jak leci, drożdżówki, masełko, jaja do chleba, kanapki nawet robię, owijam serwetą, pomidor, musztarda, parówka, jogurt, jabłko, ser, dżem i inne, i plum, znów przeskok, ateny, gorąco jak w tyłku, blokowiska, na skalistym wzgórzu boisko do koszykówki, wokół butelki po miejscowym bełcie.

Siedzimy w slumsach w kucki i pijemy, w końcu wiozą nas do szpitala na suchych wzgórzach, acha, myślę, tu jest pies pogrzebany, narządy, ale nie spina mnie to wcale, jak narządy, to narządy, niech się dzieje, co chce, ale to nie o to chodzi, to jest jakiś skrócony kurs chirurgii, to się okazuje bardzo proste, cięcie i szycie, zdecydowane ruchy skalpelem, w przerwach od zajęć kąpiele w błocie, nacieranie, odświeżanie, groty solne, zabiegi upiększające, a nawet drobne poprawki, usuwanie brodawek, pieprzyków, być może botulina.

Po tygodniu w spa transport na wyspę, każdy dostaje kartę z kredytem, instrukcje są klarowne, wejść na beach party, wyjąć cycatą lusię, doprowadzić do zbliżenia, sprawdzić, czy watowana silikonem, gabinety chirurgii plastycznej przeżywają rozkwit w prowincjach chińskich, zachodnie silikonowe implanty cieszą się tam dużym wzięciem, żółte kobiety, zainfekowane amerykańskim stylem życia, masowo powiększają biust, eksport się opłaca, a wy zarabiacie, mówi nasz przewodnik, promy pełne hajsu przypływają na wyspę dwa razy w tygodniu.

W pogoni za zyskiem zatracam się jak tezeusz w labiryncie, na szczęście w jednym z zaułków czeka pani wyposażona w tak doborowej klasy ciało i duszę, że zrywam z niemoralnym życiem, pod osłoną nocy uciekamy z wyspy, ale ręce pośredników są długie, schronienie udaje się znaleźć dopiero w wysokim kaukazie, trzy miesiące później na świat przychodzi dziecko, jego ciało, co dziwne, jest z silikonu, uruchamiamy produkcję, dzieci są wygodne w utrzymaniu, nie zużywają się, przede wszystkim stanowią doskonały rezerwuar części zamiennych, nawet kiedy podczas amputacji kończyn płaczą, to są to łzy z wysokogatunkowego silikonu, czarny rynek płaci za nie jak za złoto, zysk zostaje natychmiast zainwestowany w nieruchomości w silikonowej dolinie, bo niedaleko pada jabłko od jabłoni.

Chlust zimnej wody jak śmiertelny haust, wyłaniam się w środku rozgrzanej słońcem pustyni, ciepło nawet nie jak w wylęgarni kurcząt, to jest terrarium, w którym psychiczny dozorca dorzucił za dużo do pieca, tabor kwitnie w szczerym polu, rodacy zwisają z okien, tam gdzie się okna da otworzyć, ale w większości zamknięte, chyba zatrzaśnięte, w środku teraz sauna, mokry jak świnia, krople skapują na pierś, ściekają po kręgosłupie, czakramy zalane jak świece, czoło zroszone, ohyda, dlaczego w kurtkę opakowany, jeżeli wokół prawie boso, a nawet jest kilku z gołymi klatami, jednostki specjalne, straszne tatuaże, czaszki, pioruny, pająki, diabły, odwracam wzrok, lepiej nie wabić, ściągam katanę, rzucam na siedzenie, aniołek złotowłosy maleńki biega i gęga.

Chodź, dam ciasteczko, mówię, gest w ich kierunku, próba złamania bariery, która tylko pozornie jak fatamorgana, na twarzy mamy grymas aprobaty.
Chodź po ciasteczko, mówię, bo gdzieś tam to w środku jest, przypomina się, że śniadanie w barze, w plecaku pewne tego elementy, sięgam ręką, ale on jest tu pod siedzeniem strasznie zmięty i zaplątany w rurki, wreszcie wyłuskany, zanurzam dłoń i cofam, bo coś mokrego, obrzydliwego, demoniczny kisiel, wnętrze w dżemiku, masło stopione, tłuszcz na książkach, miodem kartki sklejone, jeden wielki glut, galimatias, wszystko do wypieprzenia.

Ruch ręki wstecz trwa, choć powinien się zatrzymać, ale chemia dziś szwankuje, impuls nerwowy słaby i oto wyłania się garść sklejonej materii, blondynek w płacz, że mu wujek chciał evil cake podarować, tata zaraz patrzy znad sms-a, miesiąc bez premii, bez trzynastki, bez dodatku, ale z podatkiem, zaraz coś powie, trzaśnie, na twarzy zbiera się na burzę, a za oknem skwar wręcz nieopisany.

Śniadanie, mówię, wypłynęło, ciastka zmiękły, to wszystko.. To trzeba, mówię, bo nie reagują, umyć ręce, i wychodzę, żeby się nie jątrzyć, czystą głupotą było to wciskać pod fotel, chować, ukrywać, człowieku więcej miłości, zrozumienia dla człowieka, nawet jezus o tym gdzieś kiedyś coś mówił!

Do kibla kolejka, jeden na cały wagon, nawet jeden na całe dwa wagony, stoję z ręką w glucie jak zbok, wzgardliwy uśmiech na twarzach dziewczynek, dziatwa w wieku szkolnym też się odsuwa, jakaś zabawa powstaje, kto bliżej niego ten syf, zjadliwe szepty, złośliwostki, to jeszcze dzieci, musisz im wybaczyć, wybaczam, jakżeby inaczej.

Wreszcie się coś rusza do przodu, w kiblu sytuacja nie do pozazdroszczenia, wnętrze spływa gównami, metalowy sedes zatkany, przelewa się z tego, chlupocze, pety jak rodzynki i śmierdzi ogólnie jaraniem, nawet nie wchodzę, żeby butów nie zamoczyć, buty dobre, wygodne, gówno się doklei jak złoto, nie wchodzę, ale może za długo wejście tarasuję, bo za plecami jeremiada.

O jezus, jezus, czy oni muszą palić w pociągu!

Odwracam się, starucha, wielka wada wzroku, oczy zniekształcone przez powiększenie, białka jak piłeczki do golfa, źrenice wbite we mnie jak ciernie, brak akceptacji dla chamstwa i dziadostwa, ale czemu z tym do mnie, z tyłu już urzędnik kolejowy, rozchełstany, w połowie posiłku, czapa na bakier, kleszcze zwisają z boku, w torbie wielka księga przyjazdy–odjazdy, na siwych wąsach żółte tytoniowe zacieki, dostał przeciek, że ktoś jara, więc do mnie, pan palił?, no panie..!

Gdzie paliłem, jak nawet nie palę!
Palą tam, palą!, pluje starucha, wchodzą i palą!
Panie, wiesz pan, że tu się nie pali, bo jest nawet napis na drzwiach nie palić, nie widzisz tego, mówi rozchełstany, na *ty* ze mną poleciał.
Nie paliłem, powtarzam, nawet wejść nie zdążyłem, patrz pan, co to jest i otwieram drzwi, niech się przekona, co to znaczy życie.
Zamknij te drzwi, dobrze?, nie pokazuj mi takich rzeczy, co ty myślisz, że otworzysz drzwi i co ja zrobię, mówi i kręci głową, twarz pocięta żyłkami, sinoczerwona pajęczyna.
Tylko ci jeszcze tyle powiem, że masz szczęście, że cię nie widziałem, jak paliłeś, bo bym cię zaraz.., i robi zamach ręką, że albo w pysk, albo mandat, albo coś pomiędzy, gwoździ jeszcze spojrzeniem i idzie, znika w jelicie wagonu.
Kurwa, skurwysyny, gnoje, warszawka.., dolatuje mamrotanie.
O jezu, o jezu, jęczy sobie starucha, ale wchodzi, przestawia kolejkę, zamyka się w srocu i pierdzi, wzdychając, o bożeś ty na świecie..!

Małe się zamieszanie z tego zrobiło, dziatwa w wieku szkolnym zaczyna drzeć łacha, *co gnoje se podśmiechujki urządzacie?*, zaraz to tak załatwię, ale nie załatwiam, idę do drugiego kibla, kilka wagonów dalej, sam początek składu, bo wszędzie, jak się dopiero teraz okazuje, nieczynne z powodu awarii, ściga mnie śmiech i nawet jazgot, choć może to pociąg tak stuka.

Tu też niewiele przyjemniej, ale przynajmniej mydło i woda, ręczniczków brak, mokra szara kula pod oknem, unoszę butem deskę, wewnątrz brąz wielki jak łapa, zamykam, aż tak bardzo się nie chce, żebym tam musiał, więc oddaję płyny do umywalki, zatkana, robi się zator, ciecz chlupocze, odsuwam się i wyciągam kopertę, honorarium na miejscu, ale brak dwóch stów, no poleciałeś z tym wszystkim człowieku, imprezka, śniadanko, no trudno, banknoty przepocone, wilgotne, zielone szmatki, nie środek płatniczy, chyba się w tym żarze nie rozpłyną?, suszę to, na ile mogę, gorące powietrze zza okna dmucha, wreszcie ktoś stuka, wychodzę.

Siąść się już prawie na ławie nie da, bo Wielki rozparł się i żuje, kątem oka patrzę, jaki ma napęd, paliwo peklowana szynka, sprasowane mięso koloru łechtaczki, twarz wcale nie taka spracowana, raczej przepita, opuchnięta, odbarwiona, gruba porowata skóra, świńska szczecina, włochy w uchach, pęcherze, krosty, narośla, wągry, może to proboszcz wraca z gabinetu w mieście?, proces renowacji twarzy nie powiódł się.., ale bekenbałery prawie do ust, więc pewnie nie ksiądz, zwykła męska hedonistyczna świnia.

Przepraszam, trochę bym tu, odrobinę choć.., mówię, on nic nie mówi, bierze siatkę, kładzie pod nogami, w siatce, patrzę, coś zawinięte, jezus maryja!, głowa ludzka pieczona!, oczy, usta, nos!, ale to kurczak grillowany, cztery dziewięćdziesiąt

74

pół porcji, z dworca to jeszcze pamiętam, człowieku ty mnie tu straszysz klimacikami, ale to nie głowizny do wycierania, tylko lokalny film.

Skład staje na stacji w absolutnej dupie i już po wagonie pląta się niewidomy z konikami na łańcuszku, na szyjkach koników dzwoneczki z plastyku, przeźroczyste, zastygłe formy, w środku zwierzaków złote niteczki, pasemka kolorów, szkiełka, serduszka, ślepy kłapie na początek wagonu i zawraca, szuka po omacku skarbów, oddają mu bez słowa, klepie tatę w ramię, tata nie reaguje, tata jest duży, teraz to widzę, bo stoi.

Co?, odwraca się wreszcie przez ramię, na twarzy amok, pewnie trafiony, czym się tu zdążył zrobić?, ściągnął cichcem bronka, puszka na stoliku, dwie zmięte, wepchnięte pod ławkę, ślepy coś stęka, może też niemy, i ręką mu daje znać, że hajs. Przypierdolił się jak żyd za okupacji, rzuca tata i zwraca konika, breloczek spada na ziemię, nikt się nie kwapi podać, ktoś przechodzi, figurka znika pomiędzy nogami, galopuje w inny wymiar.
Proszę, mówię i zwracam swojego konika, dziękuję, dodaję, żeby nie wyjść na buca, ale kaleka z litanią do mnie, nie do taty, ale do mnie i okazuje się, że mówi i to nawet bardzo dobrze.

Uprzejmie dziękuję szanownemu panu!, żeby ci przyszło kiedyś w takiej sytuacji, szmato!, mówi i bierze zamach, to nie zamach tylko żachnięcie, wyraźne w tym aktorstwo, po chwili znika z pękiem koników, ale atrakcjom nie koniec, bo teraz pojawia się umorusane dziecko i zapodaje na miniharmoszce, pot ścieka po karku, gorąco jak w dupie, dziecko gra i gra, melodia rzewna, ale instrument przestrojony, chaos, w końcu przestaje i od razu łapa, prawie pod nos, jakieś kilka groszy wpada, ale to raczej miedziaki, raczej dla śmiechu, dałbym, żal się chłopca robi, ale nie mam drobnych.

Nie mam drobnych, mówię, ale chłopiec rezolutny, mówi, że mogą być grube.
Nie mam, mówię, a on, że idźcie wy, chuje, szepta co prawda, ale na tyle głośno.
Przypierdol mu, mówi tata, ale nie umiem dziecka zdzielić, bo to mimo wszystko dziecko, nawet jeśli brudne, może gdyby sam na sam, żeby nikt nie widział, tak że teraz stać mnie tylko na grymas, próbuję zdeptać nim chłopca, ale on już gra w trzewiach wagonu, tata patrzy spode łba, tracę tu resztę punktów. Wkrótce się pojawia dziewczynka z ręcznie malowanymi kartkami, kominiarz z kalendarzami, babcia z bateriami, człowiek z pękiem krzyżówek, śmieją się z nich twarze zdrowych towarów, dupy, dupeczki, tylko pacjenta z piwem brak, co to wolne se robicie?, strajk, kurwa, kiedy ludzie najbardziej spragnieni, pewnie założyli pierdolone związki zawodowe.

Skład toczy się wolno jak pijany żuk, stoimy co rusz, przystanek szczere pole, koniec świata jaki znamy, tyłek już zdrowo spocony, koszulka lepi się do skóry jak mątwa, wilgotne pachy, smród, fryz mokry włoch, więc tu jest ta tajemnica ukryta, sekret taniego biletu, tanie przejazdy kolejowe.peel, wagon bydlęcy, sucha sauna, krajowy wynalazek, oglądam zamglone odbicie w szybie, spocona gęba, inne zlane potem mordy, łypiemy na się spode łbów, tabor nagrzany jak piekarnik, ciśnienie jak w mikrofali, przez okno być może lekka bryza, ale tu nie dociera, smażymy się jak fryty w głębokim oleju, ludzie nie z marmuru, żelaza, miedzi, ale plasteliny, rozpływają się, armagedon w muzeum figur woskowych.

Wielki obcina paznokcie żyletką, Siedząca Naprzeciw kręci otwarcie młynki na różańcu, grube dziecko pląta się pod nogami i kwili, kwiczy, piszczy, rzęzi, niech ono natychmiast przestanie!, weźcie to tłuste bękarciątko!, odwracam głowę, nie mogę patrzeć w twarzusie, przyszłość wypisana jak dziesięć przykazań, stadionowy chuligan, dołek, zawiasy, czapa, kilku rozebranych do pasa chodzi po wagonach w tę i nazad, szukają zaczepki, bo to jest pociąg strachu, powrót z meczu, młodzież na korytarzu bawi się w puszczanie bąków, który głośniejszy ten pan, pozamykać was, wykastrować, wyregulować pogłowie, fajansiarze i ich kurwy, motłoch, moczymordy, dam rękę uciąć, że damscy bokserzy, sama zepsuta krew, dopiero pod wpływem temperatury widać, co za ziółka, puszczają soki, sublimacja ekstraktów, muliste dno, bryndza sądecka teflonowa, żyjecie jak pączki w maśle na tym socjalu, nie możecie sobie pozwolić, ale sobie pozwalacie, nędza na własne życzenie, oczekiwanie na paruzję, lenistwo, pijaństwo, w DNA GMO & JŻS, uch, dość już tego prawdziwego życia, takie reality dawno powinno spaść z anteny!

Przepraszam, mówię, ale nie reagują, wbijam się między Mantrującą i Wielkiego i próbuję wpuścić powietrza przez okno, nie da się to gówno otworzyć, napieram, nic!, co to jest, bad trip czy jak?, w wagonie tylko jedno okno i ledwie do połowy odsunięte, ludzie wiszą na nim jak zepsuta kiść, jeszcze się trzymam, ale już cały kleję, wszystko jak wzrokiem sięgnąć – lepkie, szyby zabazgrane do cna bezeceństwem, cipą, kurwą, chujem, członem, aaaśka to dziwka, zadzwoń, a do tego jeszcze swastyka, pacyfka i inne.

Wreszcie szczelina, wbijam jak nur pikujący za rybą, ludzie, o jezu, na boga, dajcież pooddychać!, i coś jakiś lekki podmuch na twarz, obcieram czoło, panienka odsuwa się ze wstrętem, wzdycha, ja ci szmato powzdycham, pewnie dajesz dupy za mieszkanie, na twarzy wszystko wymalowane, ale nie zgłębiam tematu, bo za oknem, i to musiałem poprzednio przespać, istne ceregiele, kłębowisko węzłów komunikacyjnych, aorty spękanych ulic, przerośnięte krwiaki placów, zmurszałe kręgosłupy estakad ciągną się do położonych na wzgórzach blokowisk, wkrótce wyłania się szary masyw, martwe mastodonty o ponurych oczodołach, ktoś wysuwa się i skacze z okna, sylwetka zastyga w gęstym jak kisiel powietrzu, ale mija to szybko i nie widać już nic, wpadamy jak pocisk w tropikalny gąszcz, rozrośnięty drzewostan tkwi w spalonych słońcem krzaczyskach jak zmurszałe obeliski prastarego cmentarza, prześwituje czerwona cegła zdewastowanych fortów; hurtownia hampol, piknik na skraju torów i nielegalne wysypisko śmieci, stado kołujących mew, duży betonowy płot i czarne fasady kamienic, za fasadami znój, tynk splamiony czarnymi plwocinami, wizja warta tyle, co dzieła topabstrakcjonistów, ktoś odlewa się w krzakach, małpi gaj pełny stójkowych, popołudniowa zmiana wysypuje się na przystanek, zakutana w szmaty baba z dzieckiem na rękach, klęczy na betonie, toś se wybrała stajenkę, kobieto, ale to już się nie powtórzy, chrześcijaństwo, prędzej trafisz na dołek, niż tu przyjadą możni i władni, żeby ci w miskę sypnąć, to wszystko znika, jakby wcale tego nie było, sen rozbudowany w pionie i poziomie jak nimbostratus, kosmiczna szopka, umarła klasa, powykręcane kończyny, zdeformowane czaszki, wykrzywione w kwaśnych uśmiechach, ogorzałe od słońca i zakazanych używek twarze, szaleństwo, kazirodztwo, choroby przenoszone drogą płciową, wielkie czarne muchy, skrzepła krew, cierń wbija się w czaszkę, dzieci napinają łuki, w rączkach kamienie, zaostrzone gałęzie, drewniane pałki, miejskie plemię, czarne ptaszyska kołują nad padliną psa, nagle bluzg, świst, tłuczone szkło, ktoś się odważył, kamień trafia w wagon obok, zaraz w odpowiedzi sypią się butelki, łatwo nas nie wezmą, kogut już wyje w tle, stan jakiejś wojny, nie słońce, ale gwiazda śmierci, słaniam się na nogach, opadam, oczy zalane gorącym potem, ledwie udaje się wrócić na miejsce i nagle *gdzie plecak!, kurwa mać!, skurwysyństwo zajebało plecak!*, ale plecak jest pod ławką, czerwone obicie, na którym pejzaż, sperma, mocz, pot, tanie leki, kiełbasa wyborcza, sól w ustach, kac, kwas wżera się w oczy, Wielki dzierży bułę i łyka ją łapczywie jak wąż, trawienie zaczyna się już w otworze gębowym, kwasy tryskają wokół, wypalając w podłodze dziury wielkości jednozłotówki, zaczynamy się wszyscy mimowolnie mutować, więc zaklinam się, że podpiszę każdy papier, tylko zdejmijcie czapę, otwórzcie czaszkę, wypieprzcie to w kosmos!

Patrol

W czaszce śrut, ale już na starych śmieciach, wypluty z gardła bydlęcych wagonów, całuję beton peronu jak papież, cudem do życia przywrócony!, z dworca na dzielnicę nogami, bilet czwórkę, to jest tylko czwórka albo aż czwórka, a suszy wprost niemożliwie, parkuję w pierwszym lepszym monopolu, narobiło się tego jak psów, wewnątrz promocja, jeden dziewięć dziewięć za jedno, no to co?, nic, co ma być, to będzie, inwestuję i przyjmuję na miejscu, choć ostrzeżenie, żeby nie pod sklepem, ale to jest w imię wyższej racji, prawie religijne święto, nowe narodzenie, i dopiero teraz, po komunii, następuje prawdziwe: *uch.*

Człowieku jesteś z powrotem i koniec z tym gównem, śmierć prawie kliniczna, tułaczka białym, śmierdzącym tunelem, w zaułkach stoją i szydzą, spluwają, chcą żenić kosę, ale stop, dość, koszmar is over, jesteś z powrotem, już mi, czuję, to broństwo dobrze usiadło, dyskretnie przeliczam sos, ile da się z tego przepieprzyć, po opłaceniu różnych, bo jeżeli w pociągu się wahałem, obiecywałem rezygnację z kariery, zaszycie się w jakiejś norze z ikoną jezusa nad łóżkiem, to teraz wiem, że mrzonka, bo tak czy owak pójdę, nie chodzi o to, że w długą, ale mały patrol nikomu nie zaszkodził.

Mały patrol, myślę, ale gdzieś w nośniku rozjarza się światełko, migotanie w ciemnościach, które gaszę, ale wraca większe, świeci prosto w twarz jak pies patrolowy, przyglądam się informacji, przekaz czytelny, że człowieku pójdziesz i przypierdolisz, to już się ten przekaz ukazywał wcześniej, jeszcze pośród pól oddających żar, to już wtedy było – w drodze, wielka modlitwa o trzeźwość, odwykowa panika, że koniec, człowieku wracasz i bierzesz się za siebie, zimny prysznic, mikroelementy i żywe kultury bakterii, potem piszesz najbardziej popierdoloną książkę świata, ale szybko nadchodzi sprostowanie informacji, że z odwykiem to nie dziś człowieku, poczekaj na właściwy moment, bo takie momenty zawsze przychodzą, a dziś człowieku idź w długą, by szukać inspiracji, tego ci chyba nie muszę tłumaczyć.

Ale, ale, jakie wieści z kabzy?, biorę to pod lupę; mityng sześć stów, delegacje dwieście trzydzieści z haczykiem, a że powrót bydlęcym, poniżej godności, choć wśród narodu, to prawie stówa na plus, ale teraz wychodzi, że zostało pięćset pięćdziesiąt i pięć, plus dwa, dwa, jeden i jakieś grosze, i jeszcze miedź, no nie wiem, na oko, z pięćdziesiąt osiem, coś koło tego, z czego jesteś krewny pięć dyszek, i jeszcze stówa zaległa, poza tym nie należy zapominać o kosztach stałych, złodziejskie abonamenty z każdej strony, ale może się do tego czasu coś jeszcze trafi, książka się jakaś napisze, choć ludzie nie chcą czytać, kurwa, naród mi się trafił, w stanach dawno bym już sosem srał, jednym słowem osiemset trzydzieści, z tego prawie sto było na czyściocha, ale teraz jest pięćset pięćdziesiąt, nie licząc drobnych, więc jak się pooddaje i popłaci, to można będzie, ile?, pięć dych?, plus drobne, może ósemka, ale to nie poszalejesz człowieku, cóż sobie trzy duże weźmiesz?, to w takim razie trzeba będzie z tymi długami potem jakoś załatwić, na razie bez ciśnienia, nie piszą, nie dzwonią, jeszcze pewnie nie mają nowego numeru, ale to lepiej może, to przytrzyma windykację, czyli da się z tego ukroić sto, nawet sto i pięć, tak to się można pokazać na mieście, buła, bułka, bułeczka, to znaczy, że jeszcze żyję, oddycham.

Z przodu wózek i łachy, na wózku lodówka, grzejnik, rury, przypatruję się temu życiu jak rejestrator z bezpieki, pełna dokumentacja, każdy fragment spłowiałych łachów, biały sportowy but, rozdziawiony, wytarte do cna znaki towarowe, znużona w brązowej melasie, spękana skorupa, sznury nie sznurówki, na tyłku blue jeans, ale teraz już ciemny brąz, brud, szczyna, a nawet gówno, ale miejscami jak słońce jakieś białe plamy, szare do tego polo, poplamione sosem, poniżej napis *Love from Paris*, morda jak stary ziemniak, podobny do ciebie człowieku, bo może człowieku jesteś w świecie równoległym i widzisz się w innym ujęciu.

Twoje życie człowieku to jest materiał nie tylko na pełnometrażowy film, ale i wieloodcinkowy serial, dziewięćdziesięciotomowy wylew *W poszukiwaniu straconego hajsu*, i dlatego musisz zdobywać materiał poznawczy, mija mnie rower, na nim króliczek, łapię pupę w detalu jak głodny gad, istne rajskie jabłuszko, nóżka, udeczko, sarenka, kopytka odziane w szpilki, niewygodnie wbijać to w pedały, ale po trupach do gwiazd, bo najważniejsze to trzymać fason, więc rzuć się za nią człowieku w pościg, zrób coś, choćby z siebie idiotę, byleby grota króliczka okazała gościnę, spożyjesz tam chłopskie jadło, ale ona już daleko, jak ułuda, kształt zamazany, kiepskie widoki jak czarna wróżba, nastrój pryska jak bańka mydlana, nie mam sił iść, ale jak staję, to bezsiła jeszcze większa, więc nie wracam na dzielnię, tylko parkuję w środku.

To już mnie tu nie poznajecie?, mówię, artystów tu nie poznają, kutasy!, mówię ciut głośniej, i te *kutasy* ujęte w wielki nawias, że niby koleżeństwo, znamy się z niejednej akcji, ale dowcip nie chwyta, głowy odwrócone, nic, zero reakcji, na fejsach kac, ani pół propozycji, że *może banię?*, *może małe piwko?*, *na co masz ochotę, stary?*, a chuj tam z tym, fałszywi przyjaciele i właściciele gównianych spelun, jak człowiek na topie wsadzą ci w dupę całą łapę, ale wystarczy, że coś nie tak, balansująca na granicy recenzja, a już się żaden nie pokwapi z niczym, już nie ma *może się czegoś ze mną napijesz?*, o nie, a ty człowieku chodzisz, zdzierasz twarz, zużywasz styl, łachasz się do dna i gówno z tego, żadnej refleksji, że może należałoby polać za friko.

Ile się tu wódy przelało dzięki temu, że tu jesteś człowieku, to że TY tu jesteś, to tu się przychodzi, żeby zobaczyć, jak się łachasz!, za ten spektakl są płacone bilety, przecież ja wam tu szmaty show robiłem za darmo przez najlepsze lata!, co?, teraz się tego nie dostrzega, już się ekspresja artystyczna nie podoba, serce w to wkładam, w imię wyższej wartości, ale fagasy odwracają głowy, sami sobie robicie krzywdę, poczekajcie, bo za chwilę pyk, odbijam od dna i się zobaczy, kto do kogo będzie cienko śpiewał, nic żeś w życiu nie dokonał frajerze, więc jak wchodzą goście, to proponujesz banię, bo to jest twoja praca, jesteś od tego jak dupa, nie przymierzając od czego.

Sukinsyny stoją, jak stały, nawet głupiego dwa pięć nie podsuną, ale taki jest rozkład na mapie życia, i dobrze, bo wreszcie jak na dłoni widać kto bucem, kto nie, i dzięki bogu, bo mogłyby się z tego zrobić grubsze historie, najpierw stawiają banię, a potem – pożycz jaki sos.., skąd my to znamy!, świat bije do dna i to nie jest wcale apokaliptyczne myślenie, a obserwacja faktów, tak że nawet nie zostaję, cehauj tu nocuje, uderzam dalej, występy gościnne cyrku odbędą się na innych polach eksploatacji, jest dużo propozycji, skręcam za róg, wchodzę, tu to samo, żadnej giełdy ofert, ale tu mogę pójść w koszta, nie jestem znowu aż taki, żeby mnie nie było stać, tak nisko nie upadłem, ale są tacy, widać gołym okiem, którzy chcieliby, żebym się spieprzył na samo dno, tylko na to czekają, *przychodzi mi tu i skamle o banię*, ale jeszcze mam za co wypić, jeszcze się trzymam w przeciwieństwie do was, pijusy, które życia poza barem nie widzą.

Wieczór raczej pod znakiem frustrat zone, a mogłeś się człowieku bawić na europarty, przecież gwarantowali dwa noclegi!, a dziś miała nastąpić erupcja, celebryci, sportowcy, kucharze, show jak się patrzy, zjechałyby się pewnie dupeczki, dupy z całej okolicy, ale spieszyło ci się do domu, jak papież całowałeś peron!, to teraz masz, rozczarowanie to jest mało powiedziane, gówno, nie miasto, biorę z baru dwa razy po dwa pięć z cytryną i jedno małe, ale mocne, nie ma co się obcyndalać, czas wskoczyć na orbitę, do rana tu gnić nie będę, żywcem nie ma do kogo gęby otworzyć, jakieś młode zbuki, gdzie nie spojrzysz fircyk, fagasik w rurkowatych spodniach, buciki do szpica, te okularki, maniera hipstera, różnie kiedyś bywało, też byłeś człowieku młody, ale głupa z siebie nie robiłeś, ile wy czasu musicie spędzać przed lustrem frajerczyki!, wlewam w siebie gwałtownym haustem, żeby dać do zrozumienia, co o tym myślę, że pokolenie hien barowych, cwaniactwo z pretensjami do nihilizmu.

Dwie ulice dalej chaos, disco nadupcanka, minibar, w mini solary, chłopaki machają girami, ktoś to kręci, you tube fight club, kapusta pekińska zgrzyta pod butami jak śnieg, ogryzki grillowanych buł i płyny z ustrojów, zwyczajna zabawa, sztuka ludowa, zaglądam do środka, nawet nie, żeby wejść, ale rzucić okiem, w drzwiach jeden taki, nie pamiętam, jak się wabi, z jakich my się znamy kontekstów?, z wyglądu zdrowy fiut, no hejka, hejka, co tam?, dobrze, a u ciebie?, też dobrze, to dobrze, a co poza tym, co?, nic, acha, u mnie też jakoś leci, ty, słuchaj, może masz coś?, mówi i robi ten gest, że potrzebuje siana. Człowieku jestem pusty, mówię, ale po prostu nie chcę flei pożyczać, bo pożyczę, a za chwilę sam będę musiał się prosić i już wiem, skąd go znam, publikowaliśmy kiedyś coś w jednym numerze, członek redakcji, być może z federacji, albo fundacji, ale teraz to już jest zamierzchła przeszłość, lepiej się do niej nie odwracać.

Coś piszesz?, z oczu od razu źle mu patrzy.

Cały czas, oderwać się wprost nie mogę, mówię, ale celowo nie mówię, co to jest, bo wiem, na czym to polega, to jest dżungla, złodziejstwo na masową skalę, rabunkowa eksploatacja złóż i dlatego lepiej nie pisać, a tylko nosić w głowie, bo nawet nie wiesz kiedy i jak, cenne składniki wyciekają na zewnątrz, a potem cię jałowego odstawiają na śmietnik, *ten kutas się wypalił*, więc teraz się nie wypalę, nie macie dostępu do środka, nie zobaczycie prawdy, nic was nie wyzwoli.
Ale on nalega, co?, o czym to będzie?, chciałbyś wiedzieć, cwaniaczku, co?

O odchudzaniu, mówię i podoba mi się pomysł, to w jaki sposób o tym mówię, więc brnę dalej, że to ciepły temat, historia kilku rodzin, namiętność, zdrada, zbrodnia, epika na wiele głosów, narracja faulknerowska z dietą w tle, trzeba się wbić w rynek jak kafar.., a u ciebie?, a ty?, co?, spoczko?

Dość, mówi, pracuję nad czymś wielkim, miksik międzygatunkowy, szopka krakowska jako uniwersum zależności społecznych, badania nad kondycją człowieka daleko poza nowymi horyzontami, sianko, łóżeczko, kołderka, zabaweczki, a wokół dziwki tańczą na rurach, kolesie kręcą lody, osły dymane przez małpy w czarnych skórach z ćwiekami, macocha czai się z zatrutym jabłkiem, wąż owija się o drzewo, koziołek matołek zwisa z sufitu na sznurze, bydlęta klękają, kibole śpiewają, angole rzygają, kebab, koks, kurestwo, nakręt wśród nocnej ciszy, szał, szajba, końcówka mocy, apokalipsa, trash art brut, instalacja z wszystkiego, dobre, co?, genialne!, a przy okazji i spory grant z tego wyniknie, czy też stypendium, mówi, na pysku wypisane, że się wkrótce ustawi, wszyscy się ustawiacie,

wchodzicie w odbyty starym fagasom, ruchacie zwiędłe cioty,
tylko człowiek musi lać pod wiatr prosto w oczy.

Wygląda to nawet so, so.., mówi, pakiet korzyści.., żarcie..,
picie.., spanie plus dwa tysiaki miesięcznie.
Słabo..
Euro..
O!, mówię, i automatycznie ślinotok, ale ścieram szybko z twarzy, żeby nie zauważył.
Dobrze jest mieć przed sobą szeroką perspektywę..
Jak życie, to tylko z dużymi cyckami..
Wbrew powszechnej opinii to co większe okazuje się lepsze od
tego, co mniejsze, a to co szersze, od tego co węższe, tak na
marginesie, byłem ostatnio na otwarciu wiesz czego, ale generalnie nic ciekawego, tak zwana sztuka współczesna, mówi,
usta mu się w taką trąbkę robią, co on mi chce tym powiedzieć, może mi najwyżej obciągnąć, taka jest prawda, a może
on proponuje jakiś wic, może wchodzimy właśnie w układ
i on napisze potem o tym w tym literackim kwartalniku.

Taa, mówię, wiem, jak to jest, ślepy akademicki konceptu-
alizm na garnuszku państwa, artyści ruchani przez urzędników,
po prostu satan spa, kiedy wreszcie ktoś o tym głośno powie.
No mówię ci szok, na ścianach sztuka dla naiwnych, do picia
sikacz, a żarcie buła ze smalcem, żalkurwa.com.pl..
Karty już dawno rozdane!, mówię, tylko pisarze się nie zała-
pali na torcik, podczas gdy cała reszta doinwestowana, tłusta,
ubrana, teatry, opery, operetki, kina, kultura niby niepopu-
larna, sztuka jakoby niszowa i dlatego wymaga zastrzyku fi-

nansów, ale książek też już nikt nie czyta!, sięgnęliśmy dna,
czas, by zmienić zawód.

Świat schodzi na psy, wokół zjeby, fiuty, świry i komentatorzy,
mówi, wchodzi w słowo, prawie się między nami rewolucja
rozpala.

Tak, mówię, ale są jeszcze prawdziwi ludzie, mówię, którym
się nie posrało w głowie.
Ty, stary, to może napijemy się po bani, możesz postawić teraz?, a ja wezmę następną gdzieś kiedyś w przyszłości, bo teraz
nie mam, mówi.
Nie piję, mówię, bo widzę, w czym wic, do tego pił, niby ostat-
ni sprawiedliwy, a to się sprowadza do kapuchy, daj takiemu
palec, a wyrwie rękę i nie zdezynfekuje rany.
Nie pijesz?
Nie.
Od kiedy?
Dwa miesiące.
O!, mówi, jak można przestać pić?, to jest stary separatystycz-
na deklaracja wolności, jesteś stary trupem dla społeczeństwa,
nie istniejesz!
Zostałem skazany na trzy miesiące pozbawienia wątroby, gdy-
by się napił, byłoby po mnie, a przecież tego nie chcemy.
O tak, tego nie chcemy, mówi, pod maską twarzy czysty jad.

Stoimy na zewnątrz, ludzie ściekają tu jak krople, jeden po
drugim, hej!, no hej!, no hej hej!, co tam?, jak tam?, z czym to?,
w czym?, kiedy?, gdzie?, może jutro?, może nie, na ścianach
plakaty, zdjęcia, reprinty z gazet, tu się rozwija niezdrowa fa-

scynacja przeszłością, proletariacki klimacik, popiersia wodzów, kaszkiety wrzucone na bakier, spracowane dłonie w rękawicach, kwietne szale, lekka nawet chłopomania, koguciki na patykach, łowickość, ale wszystko do picia za czwórkę, małe, mniejsze i najmniejsze, a nawet akcja promocyjna, wygraj orzeszki, więc wchodzą, walą w ciemno, najtańsza naEBa, wiedziony nosem zjawia się i performer, niejaki skandalista, show koniozwał, kopnij go w dupę, a powie, że roboty drogowe.

No i jak tam akcja?
Dobrze, świetnie, zjadłem, wypiłem, nakakałem i fru ze sceny tym w ludzi, dałem im się, jak to się mówi, poznać naprawdę, mówi i stroszy piórka jak malarz, bo przecież coś tam na boku rzeźbi i kręci filmy, różne arty, po prostu andrzej warchoł, wchodzi ich coraz więcej, każdy jak jeden coś na boku kleci, pisze, maluje, kręci, wszystko w niszy, dokumentacja w smartfonie, oglądamy, materiał o fagasach, którzy pchają se w odbyt gumowe zabawki, po prostu obraz uzależnienia, jednym słowem grubo, zmontują to na ostro, daleko polecą, może nawet na festiwal, tak na marginesie dziś bankiet, bankiet!?, gdzież to?, tu zaraz, za rogiem.., to co?, jedziemy.

I następuje jakaś przerwa w dostawie prądu, bo film się rwie, i oto jesteśmy na miejscu, polowanie na bankiecie, sztywne mankiety, dupy nadskakują dzianym wujasom, szansa na sukces, miss południa w koronie, coś wisi na ścianie, bohomazy, biomasa, brud, co artysta chciał powiedzieć, czego nie chciał, bo widać, że pogadać lubi, gwar głosów, że się podoba, wchodzą w to z palcem w, orgia za rogiem, łonowa wata cukrowa, do kotleta przygrywa gruby poeta, a wódka za darmo, więc łoję za dwóch, takie okoliczności mogą się nie powtórzyć, ładuję i konotuję, wszyscy pierdolą o kulturze, że wysoka, to już wiemy, ale jak przychodzi do płacenia, to każdy nabiera wody w usta, tak, tak, panie sławku, przelew przyjdzie, rozliczymy się wkrótce, miesiąc, dwa, wie pan, niepłynność na rynkach, hurtownie zalegają, księgarnie nie płacą, kasza spływa miesiącami, musi pan poczekać do kolejnej transzy rozliczeniowej, więc czekam, czekam, czekam i doczekać nie mogę, i nagle przestają odbierać telefony.

Kończy się to gówno wreszcie, dogorywa, darmowa wóda wychodzi, wino też finito, udaje się złapać kieliszek w ostatnim momencie, już ktoś chciał sięgnąć, co jeszcze do żarcia?, zgarniam reszki na talerz, jest tu nas więcej, hien polujących na okruchy bankietu, wara mi stąd cioty, walczymy o ochłapy, co za szopka, dobra, do widzenia, do jutra, nie mam czasu na rozmowy o fiutach maryny, wychodzę, oddycham, idę, z przodu pani kręcipupa, z tyłu niezła dupa, ale przód do wymiany, ona skręca w bramę, a reszta się zatacza, szajba fest never ends, gdzie nie spluniesz pijany gnój, śmichy, chichy, warkot, wrzask, pod krzyżem harcerze, nie wierzą, ale stoją, na ustach mają wypisane, szczyle pchają paluchy między tryby, a w głowie koko spoko, mtv prime time, ruchaj show, sadź moją starą, starego, meet my teść i sprawdź, czy rodzi w bólach, ulicą jedzie suka, kryję się, kulę w sobie, choć bez powodu, coś mi się dziś dzieje, nerwówka czy spadek elektrolitów?, spoglądam w niebo i wszystko wiemy, pełnia jak na dłoni, stąd to jest, może nawet minihalny?, wiatr czy ciepły toksyczny wyziew?, w każdym razie zabójcza mieszanka, szajba, pełnia i nie ma wyjścia, musisz polecieć, to jest nawet nakaz moralny, gdybyś się wyłamał, matka natura mogłaby się wściec.

Walę dalej, jest pewne miejsce, zazwyczaj puste, a lola za barem zwykle się budzi, jak wchodzę i wzbijamy, gawędząc na wyższe rejestry, prawie kosmiczny przepływ energii, kumulacja, kto wie, może wystarczyłaby iskra, lepsza lola niż żadna, więc idę, prawie otwieram drzwi, ze środka wypada pies i ujada jak wściekły.

Ty mały kurduplu, franco zajadła, poszedł!, poszedł!, odganiam to nogą jak psa.

Spierdalaj mówię!, mówię i pac go butem w pysk, i na ten gest ona staje w drzwiach, ma lola, nawet dziś w superanturażu, wygląda lepiej niż w światłach rampy.

Pan do nas?, dziś nieczynne.., mówi i widzę, że kwaśna, być może to przez psa.

Kawki się nawet nie napiję?, pięć minutek?, mówię, robi się szkoda tego psa, bo on teraz potulny i jęczy jak zbity.

Awaria, lokal bez prądu..

Ach, pech, mówię i mam wrażenie, że prąd jest, że coś się w środku świeci i ona po prostu chce zamknąć, ruszyć na chatę, złoić się w wyrze i przegryźć przez film, zapada głupia cisza, więc głaskam zwierzątko przyjacielsko, ale gnój warczy, nawet zwierzęta głupieją.

Zapraszam jutro.., mówi, to już nawet cieplej brzmi, z pewnością nie widziała.

To może pani da się zaprosić dziś, gdzieś?

Nie mogę, wskazuje na psa, jestem uwiązana.

Psa można przykręcić do jakiejś poręczy czy znaku, się znalazła miłośniczka zwierząt, dobra, wiemy, o co chodzi, rok temu, kiedy stypendia i synekury, tobyś inaczej śpiewała, czas by się znalazł, gwarantuję ci to, prąd też by się pojawił, kupiłabyś agregat, byleby tylko walnąć ze mną kawkę, jakież zakłamanie totalne w młodym pokoleniu!, fałsz, obojętność, nie pomyśli, że powinna okazać szacunek człowiekowi, który położył kamień węgielny pod kulturę narodu, ale jeszcze to się na was wszystkich zemści, jeszcze będziesz prosić, żeby mi zrobić lachę, szlucho, ale wtedy ci powiem, żebyś poszła z psem.

Dobra, oddech, głęboki oddech, lej w to, nie rób z siebie szmaty, masz markę, musisz pamiętać, żeby tego nie spieprzyć człowieku i lepiej się w pewnych miejscach nie pokazuj, nie legitymuj głupich nor, więc omijam łukiem piwniczki i pcham dalej, nad rzeką elegancki lokalik, pewnie piwko przynajmniej po dziewięć, ale pal licho, wszystkie stoliki na zewnątrz wolne, przysiądź człowieku i popatrz na wodę, chwila zadumy nad pianą jak tao, wreszcie oddech, jednak i tu feler, stoliki mokre, ale siadam i – piwko dla mnie!, wskazuję na migi kolesiowi i jeszcze, że stoliki mokre, żeby szybko mi tu wytarł.

Wychodzi na zewnątrz, od razu widać, że coś z nim nie tak, glaca łysa jak kolano, skąd znamy ten typ, *Szklaną pułapkę* przerobił setki razy, w związku ze świnią ostrą jak żyleta, oboje fekalne nastawienie do świata, wakacje na riwierze olimpijskiej, ale teraz ultras w pracy.

Mogę prosić o wytarcie stolika?

Wie pan co, krzywi cwaniacko pysk, ryj późny neolit, że to nie ma sensu, mówi, żebym wycierał, bo i tak napada.

Gdzie napada, przecież nie pada, mówię, ale patrzę na asfalt i dopiero widzę, że mokry, musiało padać, może nawet burza, kilkusekundowe oberwanie chmury, albo jechała polewaczka, może i padało, ale nie będzie, co mi tu wsadza guano do mózgu, to jest bzdura totalna! To niech pan nie ściera, mówię i proszę o piwko.

Ściera jednak i przynosi, ale jest tu inny haczyk, skleiłem się tyłkiem z krzesłem, obicie materiałowe, gąbka wilgotna jak szmata, więc wygląda, jakbym się zlał, uch, to człowiek nie może się nawet napić z widokiem na rzekę?, w tym mieście wszystko jest spieprzone, gdzie nie dotkniesz paść.

Loguję się w środku, elementy wystroju dziwaczne, chińskie lampki, bordowe makatki, mandale, pokrętna symbolika, na ścianach swastyki, może buddyjskie naleciałości, a fiut za barem to mnich, jakaś wykręcona sekta, w każdym razie pusto jak w korcu maku, to chyba intuicja wszystkim podpowiada, że tu się mogą dziwne rzeczy dziać, że coś tu nie gra, więc nikt nie wchodzi, bo kto go tam wie, łysego za barem, czy łagodność, budda miłościwy, czy breivik nielitościwy, pod ladą giwera w spoconych łapach, pojeb nie może się doczekać sądnego dnia, eksploracji bardo.

Dopijam na jednym oddechu, bo mi się tam na drugą stronę nie spieszy, sikacz niedobry, nagazowany jak balonik z gazem, generalnie korporacyjna szczyna, może to lokal dla lokalnych prawdziwków, po prostu chińskie jadło, nie mam sił się w to wgryzać, wlewam resztkę i wychodzę, nie ma co się włóczyć dalej człowieku, w mieście kapa, więc come back do punktu wyjścia, wszystkie drogi prowadzą do wejścia, może wreszcie coś się ruszyło, ktoś już jest, pupy pupeczki aktoreczki, idę przed siebie, płytą na skróty, skręcam za róg, wchodzę i tak, miałeś rację człowieku, to już ta godzina, tłok, że szpilki nie wepchniesz, dobra nasza.

No co tam?, mówię.
Po małym?, mówi, tak się praktykuje gościnność.
Czemu nie.
Nie można dopuścić, żeby piniądz sfermentował na koncie, czas przedestylować dziadostwo!
No masz!
Tylko że to, czym nas tu poją, to jest broń chemiczna, lepiej chodźmy na chwilę do łazienki, mam coś, mówi i idziemy, to może coś tam zjaramy?, ale on nie pali, a może czasem pali?, idziemy, schodzimy nadu, ciśnienie rośnie jak w rowie mariańskim, na danceflorze lekki rozruch, ale mały przemiał, nawet nie wchodzimy do kibla, stajemy za rogiem, z widokiem na morze, bezkres możliwości, oczytane paniusie, wyciąga spod serca piersiówkę, to jednak w tę stronę, nie jarajsko, ale żłopsko, cóż.

Dobra, pijmy, mówię, bo cukier leci na pysk, uch!, w istocie bimber jak złoto, kąpiele błotne, wóda spa, rozkosz, zalatuje śliwką, a i nuta zbożowa, być może podgardle wieprzowe, zeszłego lata na świniobiciu, kiełbasa z ognia, spalone usta, spiryt otwiera pamięć jak ciepła woda żyły.

Jaką zajebistą poznałem wczoraj kelnereczkę, mówię na zakąskę, wczoraj spotkanie autorskie z czytelnikami, po prostu tournée po kraju, po różnych dupach, ale wszędzie pełna sala, jakieś dupeczki do mnie strzelają oczami, to dobra, biorę je do hotelu, stary, ostry staff..
Ale coś ostatnio mało cię w mediach, co?, i też zauważyłem, że zaczynają jebać.
Fiuty, kurwy, suki, mówię, dzieci swoich rodziców, nepotyzm oficjalny, sieć zależności, synekury, układ scalony kultury, układziki podpisywane spermą, podaj mi dłoń, podam ci rękę, ale najpierw wsadzę ci fiuta, ale dobra, stary, to na razie, muszę coś za chwilę załatwić, ale będziesz tutaj, co?

Uff, pedalskie nasienie, cha wie, ale dywagować lubi, porównania, wyceny, jeszcze mi będzie menda mediami w oczy kłuć, uff, gorąco, nawet parno, dużo gadających głów, wymiotło ich z nor, łopaty wentylatora siekają galaretę nad głowami, nawet się powoli biorą do tańca, na parkiecie cztery sztuki, reszta kwitnie, do baru nie masz prawa się dopchać, ale co widzę, przy kontuarze prasa, kilku mało istotnych, wśród nich warszawka, jakiś kanapowiec zaczesany pod publiczkę, ma stałą rubrykę w periodyku, my się chyba nawet znamy, kiedyś nawet jakiś wywiad, coś w tym stylu, i raczej w dobrym świetle, w pewnym sensie swój człowiek, brat, więc idę się bratać, na ile się da.

O!, dobrze, że pana widzę!, pamięta pan?, znamy się, to znaczy, znamy się?, mówię.
Tak, tak, mówi, oczywiście, pamiętam, wtedy..

I jak wchodzi?, południowa atmosfera?, gorąco, prawda? Jest dobrze, a co u pana?, dawno pan nic nie publikował.

Po prostu korzystam z uroków życia, bawię się, o ile można to nazwać zabawą, mówię i kręcę dłonią piruet.

W tłumie kilka dużych nazwisk, zdaje się jakiś wernisaż był.

Był, był, mówię, i dlatego wszystko zapijaczone, proszę spojrzeć, to się nazywa światek, mówię i widzę, że słucha z zainteresowaniem, więc lecę w tę nutę, pokolenie starych wieszczów, de ge ne ra ci, opuchnięte mordy!, ale ja tych ich historii już nie trawię, wzmagają mi gazy, realizm magiczno-socjalistyczny, nie powieści, ale zbiory aforyzmów, raczej bagno, pan przyzna mi rację?

Też nie jestem wielbicielem tego, mówi pismak i wskazuje głową na stojącego tam autora.

Czysta grafomania, ale jest ich tu więcej, proszę spojrzeć na stolik, młodzi dzicy jak wilki, ale ani to młode, ani bestia, po prostu zryte berety.

Zdarzają się perełki..

Tak, mówię, połykam gorzką pigułkę, ale cała reszta to, mówiąc krótko, szmaciarze, artyści, którzy w sprzyjających okolicznościach mogliby stać się gangsterami, niedaleko pada jabłko od jabłoni, wie pan, jak się teraz pierze brudne pieniądze?

Pan, zdaje się, studiował ekonomię.

Ja, proszę pana, mówię, studiowałem ekonomię, na koncie dwa fakultety!, magisterka z wyróżnieniem, wielka się przede mną otwierała kariera naukowa!, ale porzuciłem to z miłości do sztuki, do słowa, mówię i próbuje przywołać wątek rozmowy, co się dzieje?, może by tak dla odmiany strzelić po dwa pięć, daję znak za bar, nalewają, prawie pijemy, ale on odmawia, ja piję i zaskakuje, o czym tu żeśmy.

Tak, tak, mówię, pranko odchodzi tu jak złoto, pan mi sprzedasz coś, tak zwane dzieło, ja panu za nie dobrze zapłacę, ale oficjalnie są to inne, wyższe kwoty, pan zarobisz, ja wypiorę, wszyscy są kontent, wie pan, kto za tym stoi, nie tylko masoni, ale czarna mafia, wie pan jaka czarna mafia, co?, watykańskie królestwo żydowskie.

Tak, tak, naturalnie, mówi, ale się odwraca, przytrzymuję go ręką i wykładam ławę na kawę.
Wie pan, mówię, pan jesteś z branży, a ja pracuję nad pewną rzeczą, może mogę panu wysłać?, jakby się udało z tego napisać coś fajnego, jakąś, wie pan, śmieszną recenzyjkę, która mogłaby ukazywać temat w dobrym świetle, bo chyba musimy sobie pomagać, a pan przecież cenił moje rzeczy, mówię i on wtedy bierze mnie na bok i szepta, że to kosztuje dwa tysia, a może mi się to wydaje, że tak się dzieje, może mówi o innych dwóch tysiach, że może to ja napiszę coś dla niego w zamian za dwa tysia, i w końcu nie wiem, co jest co, tak że mówię, że jakby miał ochotę na jakąś miejscową dupę, to służę pomocą w organizacji wieczoru, wiem, które dają, są tu różne ćmy, spusty nie spusty, anale, do wyboru do koloru, co tylko się chce.

Acha, na te słowa się odwraca, wolno jak rewolwerowiec, aż się trzęsie do ruchanka, będzie z tego recenzyjka jak ta lala, nagłówki biją po oczach, druk tłusty jak świnia pod nóż, kolejne genialne dzieło!, kultowa pozycja!, biblia neosloganów na zimowe domówki, ale on mówi, że dziękuje, nie skorzysta i przeprasza, ale musi do toalety i spada, o co biega, może pedał?, człowieku otwierasz serce, gościna pełną gębą, kto stawiał to dwa pięć?, no ty człowieku!, to znaczy chyba ty, albo on, co za różnica, ale jeszcze do mnie wrócisz, warszawska lepierdo, myślisz, że jesteście lepsi, ale nie jesteście, najgorszy pomiot, zbieranina szuj, upgreadowana wiocha, pacykarze, suki.

Co się dzieje?, zalegam przy barze, jakiś niemiły zakręt, bit wdziera się w mózg, gęsty, ciemny las, kwitnę jak kwiat paproci, to może po małym z cytryną?, z tyłu szturchnięcie, no bez jaj mi tu, bluzę piwskiem zlałem, rzut oka co to i od razu merdanie ogonem, bo wielki dekolt, buciki, nóżki, prawie nagość, i przypomina się, że tak, była tu, stała, łypała już wcześniej, cały wieczór śmichy-chichy, puszcza oczka, patrzy spod brewki, kręci figury, nasłuchuje, być może się znamy, o sześć, sześć, mówię, no co tam?, wyglądasz mi na zmęczoną. Nie spałam od czterech dób, mówi, jakby na potwierdzenie słów, dopiero teraz to widać, na twarzy wypryski, toksyny, skóra nie daje rady z maratonem.
Od czterech dup?, mówię, to dobre zagranie, z tymi czterema dupami, śmiesznie dwuznacznie, to się nazywa humor na poziomie, ale ona w takie nie wchodzi, pieprzone dziwki, skąd ja to znam, bierne wyuzdanie, majty przez głowę, wiążesz nadzieje, ale dostajesz po prostu gołą dupę, hydraulika biernego otworu, aż strach tu wchodzić, kanał, vagina dentata, ale lepszy kundel w garści, więc zaczynam standard story, typowe kręcenie filmu, wiesz, mam ziemię w górach, łąki, lasy, pola, rzeki, drewniana chałupa z bali, łono natury, duchowa

czystość i równowaga, życie bez ściemy, proste, surowe, przy okazji piękne, skoczymy może na weekend, co?, pójdzie się na grzyby, będą pamiątkowe foty na fejsa, może nawet zmiana statusu, co ty o tym?

Rozwijam perspektywę, ona też nieco zrobiona, i to się może udać, także nie trać czasu człowieku, daj do zrozumienia, o jaką stawkę idzie i że zaszczyt zrobić to z autorem, że może to ostatnia szansa na żeton do świata kultury, kraszę jak mogę żarcikami, ale dupa w istocie zmęczona, ponoć nie spała od czterech dup, znasz się na żartach?, to może się napijemy?, mówię i ona się po prostu smutno uśmiecha, przyzwala, laska za barem nalewa, strzelamy i zaczyna mi stawać na samą myśl, zmęczona obwoluta twarzy, czarna nonszalancja, madonna, gotyk, szara msza, na wpół odwrócone krzyże i zaczynam przysiadać do niej bardziej, i jechać z czymś w stylu *zwariowany kurwa świat*, jest coraz lepsza ta siusia, jest mi to wszystko na rękę, więc jakby przypadkiem dłoń sięga pośladka, jak ślimak znaczy ślad i w tym momencie wyrasta jakaś ciocia, tęga, zbita w sobie, ciocia nie w sosie, coś słabo to pachnie, gdzieś to już kiedyś widziałem.

Czego chcesz?, mówi, zbiera się jej na atak.
A ty?, mówię, odbijam.
Od mojej dziewczyny?
Ona trenuje krav magę, mówi ta czarna, a choćby trenowała czarną magię, to co?
Kiedy na ciebie patrzę, ogarnia mnie znieczulica, mówię, ale lesba leje mnie w pysk i nagle zaczynam dostrzegać bezsens

sytuacji, idiotyczna historia, zła energia i niepotrzebna afera, trzeba trzymać fason, nie maczam się w wasze lesbijskie przepychanki, morda piecze, liść dobrze usiadł.

Dziewczyny, może się napijemy po małej banieczce, mówię i uśmiecham się, że niby co do lesby i do szklanki dwa bratanki, ale mam nadzieję, że nie słyszały propozycji, bo czas na mnie.

Jakaś dupa stoi do kibla, taka mała cipka, staję za nią, rzucam tekstami, ale ona ma to w dupie, no co to dziś?, noc żywych lesb?, dziwki jedne, mam ochotę wejść jej w kolejkę, wepchnąć na chamulca, ale morda jeszcze piecze, paranoja night, co się dzieje, czego tu brak?, może nie ta chemia, bez dwóch zdań chemia nie ta, musisz to czymś odczynić człowieku, zbilansować poziomy energetyczne, bo inaczej spadek, biorę mocne małe i dwa szybkie strzały, dla siebie, dla barmanki, one zawsze z chęcią piją, dobrze inwestować w bar, zawsze to jakaś ewentualność, być może zapchajdziura, ale kogo my tu widzimy, schodzi schodami jakby nogi miał z żelu i od razu czuć, co jest grane, morda uchachana, no wreszcie towar!

Ty masz coś, mówię, co?, masz?
I on się uśmiecha, ale nie wiem, czy na tak, czy na nie, więc patrzę mu w oczy i mówię, słuchaj, jakby co, to daj znać. Taa.., taa.., dam, dam, mówi i znika w tłumie, wlewam zamówienie, ale za jakiś czas przychodzi ktoś i pieje, że właśnie palili, no mnie ładnie wystawiłeś, dopijam i schodzę na dolny pokład, gdzie on?, gdzie oni?, wreszcie docieram, że w kanciapie, no to łubudu, ale otwiera jakaś pała i mówi, że jego tu nie ma.

Ty szmato, ty nie wiesz w ogóle, z kim ty mówisz, gnoju, chcę powiedzieć, ale zamyka drzwi.

Dobra, w pytę, myślę, nie masz palenia albo nie chcesz dać palenia, taki jesteś kutas, ty bucu francowaty, bo jak jechałem na grancie od ministra, to chodził za mną i się pytał, kurzymy coś?, ale nagle drzwi się otwierają i on wychodzi z kibla z jeszcze innym, czyli nie byli w kantorku, to pała miała szczęście, bo nie wiem, co bym zrobił.

Stary, stary, dobrze, że cię widzę, to co, robimy?, mówię i pokazuję to dwoma palcami.

No właśnie żeśmy..

No stary, mówię, weź ty jeszcze skręć jednego, albo nabijmy szkło, co?

Szkło mogę ci nabić, mówi, masz?

A ty nie masz?

Nie.

To ktoś będzie miał, mówię, lecę uskrzydlony do góry i pytam każdego, nikt lufy nie ma, ale każdy chce, jakby coś było, na co ja, że nie ma, tylko szukam lufy, wreszcie coś się znajduje, pożyczy, ale jak zapalimy razem.

No, myślę, wszędzie, kurwa, interesy, ale dobra, chodź, mówię, bo wiem, że jak nie pójdzie, to tak czy owak gie z tego wyjdzie, idziemy, ale on zaraz woła kogoś i jeszcze kogoś.

Ty stary, mówię, ale nie ma tego tyle, żebyś wszystkich mi tu wołał.

A on, że dobra, schodzimy na dół, kibel pusty, wszystkim schodzi ciśnienie, już się do mnie kolejka zbliża, ale ktoś puka, oni otwierają i robi się z tego pospolite ruszenie i nagle okazuje się, że lufa gaśnie tuż przede mną i wkurwia mnie to maksymalnie, ale nic nie mówię, tylko, stary, stary, klepię ich po ramionach, a oni klepią mnie, dzięki stary, i wychodzą, no cha wam w de, normalnie bym coś powiedział, ale nie mogę, bo to jest syn jakiegoś kogoś między nimi, to się może potem przydać, wejścia tu i tam, zamykam drzwi, próbuję opalić szkło, ale z tym słabo, lufka wcale nie tłusta i zaraz idę go szukać.

Słuchaj, masz coś jeszcze?

Resztkę.

No to ja prawie przed nim na kolana, jak męczybuła, weź przynieś piwko dla mnie i kolegi, mówi, ale kolegi nie znam, co będę piwko nieznajomym brał, trochę żartuję, trochę naprawdę, ale idę po to dla nich.

Jest jak jest, najważniejsze, że coś jest, zamykam się sam i ściągam macha, uch.., dobrze.., matka natura, choć trochę żeniona z proszkami, anyway pozytywna energia, mam ochotę ściskać, całować, ruchać bez zabezpieczenia, wena wraca jak bumerang, muza z gestem wlała do puszki, notuję na pudełku po petach, nowy świetny pomysł, nowelka, krótka, ale przełomowa, szyta na miarę mdłości, być może tytuł *Rzyg!*, robię szkic, zapisuję scenki, kreślę dialogi, nagle w środku tego kurestwa opętany pracą!, wspaniale, wreszcie!, i już czuję, że mam, w końcu mam to, złapałem byka za jaja, już widzę, piszą, *shuty w świetnej formie*, podstawowy kandydat do nagrody concordów, i już dziwki nie mają serca odwracać się plecami, prezenty z baru wjeżdżają na tacy jak ekspres z warszawy, tylko zaglądniesz do środka człowieku, a już się pytają, na co masz ochotę.

I nagle wszystko jedno, bo jestem sobą, mną, idę i potrącam ludzi jak koleś z teledysku o gościu, który idzie i potrąca ludzi, i widzę jasno na białym, że jestem sołtysem w tym pierdzikurwku, kto tu jest sołtysem w tym, kurwa, kurniku?, i czuję, że mam władzę, więc zagaduję jakąś dupę, a ona śmieje się w twarz i pozwala położyć rękę na cipie, kładę, ale szybko cofam, bo to nie dupa, ale trans, który po pracy wyszedł poszumieć, więc azymut bar.

Małe piwko, mówię, ale barmance wyraźnie się nie spieszy, dobra, dobra, jesteś naEBany, to poczekasz, gówno tam poczekam, lej mi tu, mała dziwko, chcę powiedzieć, ale mówię tylko małe piwko, wiem, że słyszy, ale udaje, że obsługuje fagasów z warszawy i dopiero potem nalewa, podnosi mnie to, więc jak przychodzi do płacenia, to nie mam sosu.
Na koszt baru, mówię, ale ona kręci nosem.
Weź mi zapisz to na kreskę, mówię.
Nie ma kresek, mówi i pokazuje nad barem napis *Nie ma kresek*.
Ty mała dziwko, mówię, wiesz, kim jestem?, już mnie ta przepychanka podgrzała, to jest teraz mój performance, suki, lać mi tu wódę, bo nie wiem, co zrobię, mówię, i żeby podkreślić wagę, rzucam w przestrzeń: wy kurwy, szmaciarze!
I pojawia się ochrona, pyta na usługach baru, kapuś, łatwo cię człowieku nie wezmą!, ale ktoś za mnie płaci, dzięki, stary!, rzucam się na niego i w podzięce wciągam do pogo, to jest rytualny taniec, stary!, mówię, czasy młodości, co?, potrząsam nim, piwko rozlewa się wokół, już się paniusie odsuwają, tak właśnie ma się dziać, macie tańczyć pod dyktando, wirujemy,

ale on się osuwa, pada na podłogę, ja lecę na niego i słyszę, że, kurwa, stary, odjebało ci?!

Wstajemy, jakaś chryja się zrobiła, laska wyciąga z twarzy szkło, na wszelki wypadek wbijam się w tłum, ale wyciągają mnie jakieś łapy, kapusie biorą pod pachy i siup na bruk, chuje, mówię, krzyczę, jestem artystą i wszystko mi wolno!

Co za paw!, noc dziwów, po prostu pełnia, nic innego, ale jeszcze będą za to przepraszać, to jest pewne, mówię i idę do literatów przygruchać co do ruchów, tam jeszcze kult niesplugawiony, nazwisko coś znaczy, wielka nadzieja krajowej literatury, człowiek wielkiego formatu, legenda, więc inkarnuję jak bóg, który manifestuje obecność bez kuglarskich atrybutów boskości, po to, żeby nie stwarzać sztucznych barier w kontaktach z wiernymi, w środku gówniarze, przy barze cztery podfruwajki, krajst, jakie szpetne, ale patrzą jak w obraz, daję się ponieść emocjom i entuzjazmom i wkrótce idę z nią przez miasto, życie to bezlitosna macocha, mówię, a ty, beata, mówię, bo *na imię jej jest Beata*, jesteś za delikatna na ten świat, ten świat cię zmiażdży, jak zmiażdżył mnie, mówię, a noc otula nas czarnym kocem.

Tagi

Gdzie?, co to?, a tu to, sufit, gipsy, przez sztukaterię rysa jak rzeka lub rów, styk płyt tektonicznych, ze szczeliny wyciek zielonej lawy, bujna pleśń jak świeży mech, może nawet poziomki tam, czerwone ruchliwe szpilki, to odwłoki małych owadów, pośrodku lampa jak ośmiornica, ramiona rozwarte w ataku, na ścianie przebarwienia, chlusty, hewty, stara tapeta, złuszczony tynk, ciało opanowane trądem, oddech żywej abstrakcji, poruszana podmuchami powietrza pajęczyna, rytualna maska, otwór gębowy wypluwa larwalny kształt, szczerzący kły gad, w barłogu mierzwa jak po burzy, nieświeża kraina pocięta górami, dolinami, wśród nich zapadliska, jeziora, głazy narzutowe, plamy krwi, wspomnienie dni, ale to są rzeczy, do których nie chcesz wracać człowieku.

Chemia na pierwszy wgląd znośna, nawet śpiewająco, skąd finezja?, zrzucam płaszcz krajobrazu, na kiblu prawdziwa ulga, ale coś dziwnego się dzieje, bo dziesięć minut później opadam z sił jak kukła bez poruszyciela i zaczyna się łańcuchówka, tak jakby włączyli syrenę, w głowie rój, biały dym, zimny pot, szybko pod wodę!, kran, wydaje to pisk, gdy się odkręca,

pisk = ból, akupunktura na otwartym mózgu, chłeptam łapczywie, ale zwracam, padam na kibel, plastikowa deska sede-
sowa, pęknięcia, żółte sznyty obwiedzione nalotem, czarne
plamy u stóp, pismo obrazkowe wśród zarośniętych brudem
kafli, miast fugi wżer brudu, krótkie, sztywne włosy wśród tej
makiety, na placu kaca ścinki paznokci, w ulicy zejścia trawnik
kłaków, kępki kurzu kołysane bryzą, nalot, kamień, plwocina,
ona się powiększa z każdą chwilą, kropla spada jak zrobiona
cyfrowym efektem, kuliste pęcherze powietrza w białej wydzie-
linie, skrzek, nasiona, kapie mi z ust, uff.., i wchodzi każdym
zmysłem, stajnia domowego ogniska, czyli jeszcze w objęciach
jakiegoś wczorajszego filmu.

Co ty robisz?, mówię, ty głupi fiucie, miałeś się wziąć do roboty, ale ty się wolisz szmacić, spieprzyłeś sobie życie człowieku, jesteś nikim, zwykłą szmatą, żyjesz jak gnój, bagno krainy
bezczynności, wstawaj, podnoś na nogi, trzeźwiej i dalej do
pracy, węszyć za tematem.
Nic nie robię, w dupie to mam, mówię, dość tematów, to
jest wszystko gówno prawda, słowa, wypociny spoconych de-
wiantów, wdeptać to w glinę, niech słowo wraca do boga, a ja
usiądę i będę z zainteresowaniem obserwował kolaps, więc nie
mów mi człowieku, co mam robić.
Leż, mój malusiu, odpoczywaj, śpij se, jesteś moim chłop-
czyczkiem, małym siuraczkiem, krabkiem, i teraz mamusia
wchodzi mi jak czopek.

Różne mi się voicy jawią wśród czaszki, stary też się udziela,
dolewa oliwy, won z głowy, mówię, ale wypowiedź pozbawio-

na charyzmy, zapora ogniowa nie działa, zbyt słaby psychicznie, żebyś wybrnął obronną ręką z potyczki człowieku, bo jest coraz więcej altów, basów, sopranów, wstaję, leję wodę do wanny, kran jak celtycki krzyż, dźzit, grżit, brzszit, trzeba to nasmarować potem, jak się już wypłynie z tego na powierzchnię, wtedy się wszystko tu wypucuje, fuga jedna po drugiej, aż zabłyszczy nowością, glanc, miss proper sierpnia kładzie się na kaflach, rozchylając łopaty, będziemy mieli ładne dzieci i będą dymać na tatusia, taki biznes czyszcząco-sprzątający, może agencja ochrony przed brudem.

Woda faluje, to w pewnym sensie bezkres, na powierzchni odbicie wczorajszego wieczoru, luźne powidoki, video sekwencja, zaginiony w środku akcji, mówię mu, żeby nie fiksował, tylko ciął po ćwiartce, więc tnie, ale jego świnia pasuje, więc jest ćwiartka ekstra, więc to ja ją przejmuję, przyjmuję, zanim ktokolwiek cokolwiek się za to weźmie, bo każdy ma chrapkę na trip, stój, stary, to podzielmy to na trzy, mówi, ale too late, popiłem to jak pigułę, za późno, stary, mówię, trzeba było, stary, wcześniej zgłaszać potrzebę, nie wiedziałem, że chcesz, zresztą bez sensu byłoby dzielić, nikomu na zdrowie by to nie wyszło, a tak to przynajmniej ja się pójdę spotkać z biosem.

To gówno nie działa, mówię, bo spotykamy się gdzieś w drodze między kiblem a barem, albo szparą w murze.
Nie weszło ci?, mówi, oparty już o drzwi percepcji, moje zatrzaśnięte jak jaskinia w alladynie.
Zwietrzały papier, mówię, kompletnie się nie ładuje, i fiksuję się nad smutnym komentarzem o nieurodzaju, ale już jestem

na ulicy, na bramie florian dobija smoka, pod murem dance mickey mouse, na gębie wykwity pijanego uśmiechu, sam środek nocy, zaparowane akwarium, w zielonej ciszy precle zmierzłe na beton, prażone buły, kebaby, cebula, kapusta, sok ciekne z gęby, to mieszanka czosnkowołagodna.

Jednego, mówię, weź mi go obwiń w te szmatę z ciasta, mięska nie żałuj!, podwójne mięsko bez surówek, mówię, głód jak buc i on daje mi, wbijam się w nadzienie, muł prosto w trzewia, nawet to jest gut, sos ciekne po pysku i wszystko się sypie jak zamki z piasku, jesteś osaczony przez wczorajszą chemię człowieku, w kokonie filmu, który zszedł z afisza, czyli kacprowy, twoja odpowiedź na klipy o kacu, nagle skurcz jelit, firma wysyłkowa dupa musi nadać polecony.

Niechże to już z ciebie zejdzie człowieku, ale to dopiero wchodzi, źrenice jak supernowe uchwycone w eksplozji, kratery porów, ciało nie mieści się w sobie, kości obleczone w ciasto, zbij to czymś człowieku, dorzuć chemii do tygla, niech się to wszystko wyprostuje, wciąż na chwiejnych nogach w stronę apteczki, ślepy aneks, kiszka, ciemność, kłęby białego dymu, mgła wśród tłumu, sala dla palących, ocierasz się o ciała, przełyk kosmicznej krajalnicy losu, głowy manekinów plują informacją, słowa obijają o siebie, wpadają pod dekiel i gasną jak echa poprzednich wcieleń, trzymasz się ściany niby pijany człowieku, w aneksie nagle mnóstwo szafek, skąd to się tu?, na półkach konfitury, stare, zwiędłe octowe ogóry, marynowane grzyby jak sałatka z ryb głębinowych, kompoty z czereśni, może małych śliwek, wyblakłe jak jądra ma-

łego knura, a jeszcze wodniste przeciery, zgęstniałe soki, roz-
puszczone tkanki, muzeum agropotworności, grota wiedźmy,
skansen, koniec dwudziestego wieku, czas spleśniały jak spo-
rysz, to się dopiero nazywa jazda człowieku, ale chyba jestem
już z powrotem, na właściwej stronie rzeki, czysty, choć wykła-
dzina w aneksie wiruje jak mandala, niezły nawet patern, centrum wszechświata pośrodku stajni, stupa wśród bagien, człowieku zacznij wreszcie trzeźwieć, wracam do wanny, chłepcę
spienione mydliny i zwracasz prosto na kafle człowieku, ale
chemia jakoś coś niecoś schodzi, powtarzam manewr i wielka ulga, mętlik, ale oparty o krawędź wanny pewnie zasypiam, bo to jest las, i zbieram grzyby, ktoś czai się za plecami,
chcę wyrwać siatkę z grzybami, szarpię i walczę, woda wlewa
się do środka, w oczach staje koniec, wyłaniam się z wanny
prowadzony ręką niewidzialnego baptysty, kaszel jak spazm,
kolory wnet gasną, a nora nabiera walorów zwyczajności, co
dziś jest?

Coś dziś mam?, mam coś w ogóle?, czy dopiero jutro, i gorąco
się robi, bo w kalendarzyku pogrubione, że **wyd**, a obok **tagi**,
i wyznaj się na tym, zapiszesz coś człowieku i nie wiadomo co,
jakbyś nie mógł normalnie, jak człowiek, mówię, pieprzone
skróty i bylejakość!
Dobra, mówię, najważniejsze, że schodzi, a co będzie, to się
okaże, nie ma co robić wideł z igieł, uspokój się, zanurkuj do
łóżka, nabierz sił przed sezonem w piekle.

Wbijam do łóżka, ale ktoś tu chyba jest, niemożliwe człowieku!, zimny pot na plecach, zwinięta kołdra, czy ciało, które

z grobu wstało, napiszesz o tym kryminał człowieku, ale na razie unoszę przykrycie, jakbym się bał ataku węża, to ktoś jest, chyba kobieta, z twarzy niezbyt dupa, uroda nazwijmy egzotyczna, może to jest gość przerobiony na laskę, skąd my się z tym znamy?, trudno wskazać na punkt, odkrywam prawdę, jest prawie naga, zbyt muskularne ramiona, może to starość?, ale twarz miękka, świeża, lico prawie różowe, usta jędrne, ogólnie pewnych rzeczy za dużo, a innych za mało, dziwna asymetria jak u naznaczonych, co się dzieje?, słabo mi, znów zaplątany w pewnie paskudną historię, może związek z transwestytą, to się nazywa szczęście.

Próbuję przykimać, ale niełatwo, bo przyczajony jak napięta struna, a jeszcze łapie mnie mara, że zbudzi się i zacznie nawijać o mężu: *no mówię ci, szajbus, wariat, pojebaniec,* że cierpiała psychiczne prześladowania, do dziś nie może doczekać się zadośćuczynienia, a dziecko małe wspólne, ale to bez znaczenia, bo nie są razem, a jeśli przyjdzie, a przyjdzie, bo wysłała mu newsa, że ma go w dupie, a on wysłał newsa, że zajebie frajera, to my tu z miłości usypiemy barykadę i odepchniemy *zwariowany, kurwa, świat* do nory, i projektuje się paranoja, tak że się prawie zaczynam moczyć, że nagle zadzwoni ten pacan, zwariowany, kurwa, mąż i ona przekaże słuchawkę, kwicząc jak szlachtowana świnia: *powiedz mu, powiedz!*

Ta istota się w istocie budzi i mówi, że koniecznie teraz zadzwonić, coś załatwić, jakaś ważna histeria się kroi, ale ja wolałbym nie brać udziału, wyszarpuję z rączek telefon, przecinam połączenie jak pępowinę.

To nie jest dobry czas na takie jaja, mówię, ale ona, że o co mi chodzi, że chce mi pomóc, dlaczego na to nie pozwalam.

Dobra, dobra, takie żarty wcale mnie nie śmieszą, mówię i proszę, żeby już poszła, bo mam dziś ważne spotkanie i muszę się otrząsnąć, po prostu będę teraz przygotowywał się mentalnie do otwarcia nowego dnia.

Dobra, słuchaj, dzięki w ogóle, naprawdę wszystkiego dobrego, mówię, to spotkajmy się jutro?, mówi, no niechże już idzie, bo to nie jest za specjalna dupa, żebym musiał z nią trajkotać, nie te lata, są inne czasy, skąd my się w ogóle znamy?, acha, no właśnie, na razie.

Dobra, mówię, spotkajmy się jutro.

Czyli trzeciego?, mówi, czekaj, zapiszę to w telefonie, spotkanie na trzeciego.

Drugiego, mówię, jutro jest drugi.

Drugi jest dzisiaj, mówi, jutro jest trzeci.

Dzisiaj jest pierwszy, jutro będzie drugi, mówię, bo po co ona się przekomarza jak dziecko, ale sprawdzam mimochodem i to jest racja, ale dlaczego kalendarzyk nie dzwonił?, coś tu jest dobrze nakićkane i mówię, żeby poczekała, bo muszę coś potwierdzić, w kalendarzyku wpis **wyd**, a obok – **tagi**, jakie **tagi**?, może street art, wojna kiboli czy spotkanie z gówniarzami z asp?, **wyd** od wydymać?, nie, kurwa, człowieku, mówię. **wyd** od wydawnictwa, a **tagi**, od targów..

Dziś są targi?, mówię.

Jakie?, ona.

Książki, mówię, co za idiotka, a ona, że żartowała, na co ja, że strasznie kurwa śmieszne.

Masz ochotę się wybrać?, mam wejściówki, i mówi o wydaw-
nictwie, prawie szemrany interes, ale wchodzą we wszystko,
nawet totalne pojechaństwo, i coś z tym wszystkim ma jej
matka do czynienia, ale, nie, nie, mówię, słuchaj, ale już naprawdę nie ma na to czasu teraz, wiesz?, mówię, w czaszce rój,
może gniazdo much, jest już która?, pierwsza?, a targi dopiero
o siedemnastej, luz człowieku, uwiniesz się z tym człowieku,
wyjdziesz, strzelisz batonika, uzupełnisz izotopy, chemia wróci
do normy, będzie dobrze, być może normalnie.

Dobra, mówię, na razie, a ona, że pomysł jest zajebisty, niezły,
jej się podoba i jak chcę się tym zająć, to nawet od jutra, bo
urzekła ją moja historia.
Ale o co chodzi, mówię, a ona, że wszystko zorganizuje, żebym
jutro zadzwonił, będzie z tego szmal i żebyśmy się koniecznie
trzeciego spotkali.
Koniecznie, mówię, w końcu udaje się wypchnąć, zatrzaskuję
drzwi i wciągam dwie surowe cytryny, wykręca gębę, ale vita-
mina zbija wódę, za oknem życie w pełnej garderobie, słońce
jak dotyk rozgrzanego piętna, pierdolona gwiazda śmierci.

Wreszcie odwaga, żeby spojrzeć w lustro, gęba z botuliny,
w oczach świeży beton, wśród ust majonez, kochanie, pocałuj mnie.., białe plamy jak skrzydła motyla, to prawie jak test
rorschacha, skurcz wspomnień, wczorajsza noc jak żywa, gdybyś człowieku nie wrzucał co tylko w zasięgu wzroku, i po co
było tyle wódy pić, nie chciałem, mówię, ale każdy: *napijmy*
się po małym.., no dobrze, niezdrowo odmówić, bo jeszcze cię
zlinczują, *ten chuj się nie chce z nami napić*, to jest człowieku

obowiązek narzucony przez umowę wydawniczą, udzielanie się lub tak zwana dbałość o czytelnika.

Wypełzam z nory, bo już mi zaczęła się robić deprywacja sensoryczna, na schodach landlord, panie, albo pan płacisz, albo przyszły month won, cham jeden, właśnie idę, bo mam odebrać zaliczkę od wydawnictwa, mówię i mijam szmaciarstwo, centusiostwo, byle szybciej, meta wypluwa mnie na rozgrzany słońcem beton jak brzemienna macica, znowu ten ateński powidok, osły srają na rogach, a z nieba żar jak chara ósmego obcego pasażera, mogliby to na chwilę wyciszyć, przykręcić, garść gwoździ wbija się w skalp, krwawię prawie jak jezus, byle dociągnąć krzyż do jakiegoś cienia, uch.., w cieniu o parę stopni lżej i od razu forma rośnie, napijmy się czegoś na początek.

Niech mi pani poda to kolorowe gówno, mówię, skład, że na wodzie mineralnej, sklep na rogu, z przodu park, kolorowe trociny z psich trzewi, wskakuję w wagon, wewnątrz kontrola, na szczęście wujek to widzi i przesiada się do drugiego wagonu, jak można być kurwą kanarem?, subkultura fritzlów, po pracy modlą się do wrony, tramwaj mija rondo, dobija do pętli i musimy opuścić wagon.

Na pętli?, po co człowieku na pętlę jechałeś?, trzeba się wrócić, nowa huta, idź pan skrótem, mówi dobrze zakonserwowany emeryt, z oczu czuć czerwonym warcholstwem, może nawet lał pałą wojtyłę.

Tak, znam to, przez krzaki i wzdłuż rur, mówię, urodziłem się tu, panie, tam do wagonu chodziłem grać na grach, pójdę tak, jak pan mówisz, prosto wzdłuż siatki, tam przez lasek i już jestem na rondzie.

Targi tam są, wie pan?, mówię. Jakie targi? Promocje z różnych hipermarketów, mówię, same okazje i wyprzedaże, a jakość niemiecka, mówię panu, bo mi to powiedzieli, kto?, zaufani przyjaciele. Co pan mówi!, lecę po żonę i jedziemy, mówi, zachłyśnięty jak dziecko. No, mówię, może być nieźle. Ubolowi się w oczach zapala czeski sen, tak że zostawiam go z wizją, ludziom trzeba dać nadzieję, to jest proste i właśnie tak powstają arcydzieła.

Wspaniały, śmieszny dzień, widzisz, dobrze było przed wyjściem podgrzać szkło człowieku, ścieżka prowadzi wzdłuż ogrodzenia, za nim ogródki działkowe, nakrapiane na biało czerwone miednice, amory sikają mocnymi strugami, bonzai rajskich jabłonek, porzeczki, sutki truskawek, kuszą, by zboczyć ze ścieżki i zbłądzić, lecz dróżka szybko skręca w lewo, potem w prawo, przez chwilę powidok chodnika i skok w gęstwę chaszczy, wśród badyle, głównie pokrzywy, znużone w mchach betony, druty sterczą ze szlamowiska, nawet jest w tym pewien zen, dobry dzień, żeby umrzeć, w małpim gaju chleją, na gołej glebie ogniska, miejskie plemiona, wioski zasilane ognistą wodą, widać niedawno wypłata, spaleni słońcem zataczają się wśród gałęzi, zarosłe opuchlizną twarze, układa się to we fragmenty orgii, sadzą się jak psy, z tego się potem

wylęgnie monstrum zamknięte na zawsze w labiryncie uwa-
runkowań, to się nazywa prawda o tym miejscu.

I tak to można uchwycić w socjologicznym portrecie, reportaż z życia koczowników, czyli nomadyzm międzyosiedlowy,
nie potrzeba jechać do rosji, tu na miejscu bękarty z trzema
głowami, mutanty o wklęśniętych czaszkach i upadli bogowie,
fundacja nowego człowieka, który przetrwa zagładę jądro-
wą, i to jest nawet pomysł, żeby to zrobić, trzeba teraz tylko
znaleźć frajera, który to ładnie opisze, pod dyktando tresera,
dlaczego się żadne studenciaki nie zgłaszają do pracy, tego nie
wiem, nie umiem zrozumieć, ale krzyczeć umieją, nie ma pracy!, dajcie nam pracę!, a praca jest, trzeba się pochylić, można
się dogadać, z chęcią odpalę buły za tekst, ale nie chce im się,
studenci, kibole, leniwy motłoch, pretensje i animozje, wy-
tłuc wszystko do cna, zaprosić na biesiadę rockowo-futbolową
i poczęstować płynem na chwasty.

I nagle telefon jak policzek, panie sławku, czy pan ma zamiar
się pojawić?
Nie, mówię dla żartu, kompletnie zapomniałem!
Ale co pan mówi, przecież się umawialiśmy!
No przecież żartuję, mówię, głupie tam dupy muszą pracować
w dyżurce, nic się nie da pożartować, już dochodzę, mówię,
pomoże mi pani?, wejść na szczyt?, ale ona też tego żartu nie
wyłapuje.
Mamy jeszcze, mamy godzinkę.
No właśnie, mówię, jeszcze coś po drodze stuknę.
Och, pan zawsze żartuje, mówi, czyli zaskoczyło, nie głupota

bezgraniczna, a tylko głupota, to może ty mi lepiej powiesz, co się dzieje z moimi pieniędzmi?, kiedy wreszcie dostanę jakiś szmojt?, procentują wam tam na koncie, kiszą się, co?

Na boga, przecież autor potrzebuje siana, kapuchy!, kapusta jest antyrakowa, brak jarzyn w diecie oznacza brak witamin i mikropierwiastków, a to wszystko osłabia kręgosłup moralny, to są naczynia połączone!, także jak mi się zaraz kapuściński na koncie nie pojawi, to zrywam układ, nie lubię być dymany, lubię dymać, to mi się prawnie należy, bo to ja, nie wy, jestem po właściwej stronie barykady, twórca, a wy przetwórcy, chcę jej opowiedzieć na koniec, ale nie mówię, bo i tak mam zamiar wcisnąć im jakieś gówno i zainkasować zaliczkę, zassać ile się da z bagna, żeby nie powiedzieć rynku wydawniczego, to jest polityka autorska, radical grant art, za budynkiem targów stoi ten fałszywy mesjasz, pisarzyna ze zhajcowanego kurwidołu.

A witam, witam, dawno szanownego kolegi nie widziałem, co słychać?, piszesz coś?, stoi tu i jara, na czole pot, widmo stłamszenia unosi się wokół jak toksyczna mgła nad bagnem. Piszę, mówię, a wiem, że ten kutas chciałby usłyszeć, że przestałem, na amen zblokowany, mózg zryty przez vudu, więc nie odpowiadam gościnnością za uprzejmość, bo wiem, że pisze, wypluwa cegłę corocznie, rodzi to bez czopków, być może to lewatywa, plum i nowa książka.

Kiedy dobrze przysiądę, jestem w stanie napisać 30 tysięcy znaków dziennie, mówi.

Przelicz mi to na strony, mówię i coś mamrocze, kombinuje, a potem, że odprowadził rano dziecko znajomej do szkoły, a potem pisał, dziś mało, tylko dziesięć tysięcy znaków, po prostu dziś dyspensa, targi, więc luz, ale jedną książkę ma skończoną, drugą w trzech czwartych, trzecią zaczyna, a o czwartej myśli, to wszystko on mówi do mnie w trakcie spotkania z tyłu budynku targów, bo to jest Hugh Grant krajowej literatury, przeczołgał dupę przez wszystkie stypendia matki europy.

Zaczynam pisać nową książkę, mówi, choć jeszcze starej nie skończyłem, bo skończę starą i ukaże się, to nowa będzie prawie skończona, albo przynajmniej napisana w połowie, i będę mógł ją szybko zamknąć, co pozwali nie stracić na rynku pozycji, a ty?

Ja?, mówię, pracuję właśnie nad polską wersją *Big Sur* i to się będzie nazywało *Big Siur*, czyli erotycznie i parodystycznie, polska wersja, wszystko wsparte materiałem quasi-biograficznym, zabawa treścią, żonglerka formą, fraza prosto z trzewi, naturalnie seksualna obsesja, fascynacja pijanymi ździrami, które w akcie desperacji palą mosty do realności, a realizują się w smutnej perwersji, koczując w świecie przeżartych do szpiku kreatur o przesadnie umeblowanych wnętrzach, czyli metafora świata sztuki.

Sztuka to forma zdegenerowanej religii, mówi, pisarz powinien być hołubiony jak ksiądz i tak jak on winien mieć prawo odwiedzania z wizytą duszpasterską fanów, którzy na odchodnym wsuwaliby mu dyskretnie kopertę w tylną kieszeń.

Masz rację, mówię, bo tu ma rację i mam nadzieję, że nie będzie już pytał, czy coś piszę, bo nie piszesz człowieku, bo nie chcesz brać udziału w niezdrowym maratonie, bo pisarze człowieku, tak zwani mistrzowie słowa, to najbardziej skurwiała nacja, w zasadzie nie wiadomo nawet, czy można ich nazwać artystami. Kiedyś pisałem za pobraniem z góry, ale terminy to nazistowski wymysł, a ty?, ile dostałeś zaliczki, mówię, ale jeśli wcześniej skłonny do egzaltacji, tak teraz mało przejrzyście, kryg, podskoki w opłotkach, ale bez tego nie będziemy wiedzieć, jak z nimi walczyć, z tymi skurwysynami, złodziejami i całą resztą, rynkiem wydawniczym, prasą, chamstwem i zawiścią!, mówię, wreszcie on się łamie i duka, że kryzys i skończyły się wysokie zaliczki.

Kryzys, kurwa, mówię, a jak nie było kryzysu, to też sępili, te kutasy zarobiły na mnie taką bułę, że mógłbym przez następne dziesięć lat leżeć dupą na szeszelach, sączyć mrożonki przez rurkę i jarać hawajską gandkę, ale zaliczki nie dadzą, kryzys, kurwa mać, czyli kapitalizm pod płaszczykiem promocji kultury, lewicowy kamuflażyk, a autor nie ma za co pierdnąć, mówię i widzę, że on się zgadza, ale nie do końca, pewnie ma za co pierdnąć, a bo ty jeszcze, mówię, piszesz do kina, dobra fuszka? Da się przeżyć, mówi ten enigmatyk, teraz nagle w temacie analfabeta.

Chyba też wejdę do filmu, bo już nie daję rady z tym gównem, kto teraz w ogóle czyta?, mówię, ale nie brzmi to dobrze w sytuacji zastanej, bo na targach ludzi od zajebania, kolejka ciągnie się jak jelito długie, ale co oni właściwie czytają?, same szity pod pachą, kryminały, biografie, reportaże. Kryminał, reportaż, mówię, książki o gotowaniu, odchudzaniu, wypociny celebrytów oraz tak zwana oferta dla najmłodszych, do chuja to jest niepodobne, rynek zepsuty do cna, ludzie mają łajno w głowach i gówno jest na tych targach, mówię, a on się zgadza, ale nie do końca, bo on też jest na tych targach, właśnie idzie cegły podpisywać.

Jedynie my, prawdziwi żołnierze, światełko nadziei, latarnia na oceanie szamba, mówię, puszczam mu oko, tu się nawet zgadza, więc proponuję, żeby coś strzelić, tu są zaraz takie fajne krzaki, mówię, znam tam ławeczkę, wchodzi w to, nawet coś ze sobą ma, wziął, żeby dolać do czaju.
Na trzeźwo nie da się tego zrobić, mówi i wskazuje budynek. Właśnie, mówię, pada też propozycja, żeby nie iść nawet w fajne miejsce, ale tu, w pierwszym lepszym tojtoju i zamknięci wewnątrz nad plastikowym odbytem, jak para napalonych pedałów, robimy po dwieście gram, bez zbędnych słów, dobra to jest nawet kolorowa wódka, ulepek, choć wchodzi.

Dobra, idę przytulić nieco sosu, mówię, jak już jesteśmy wśród regałów, do zobaczenia po wszystkim, po wszystkim trzeba gdzieś uderzyć, upuścić z zaliczki krwi, mówię, on jest już wyraźniejszy i moje lico też czerwone, jeszcze tylko załatwić sprawy i życie startuje na nowo, w środku wpada w oko obecność roślin doniczkowych, co relaksuje, człowiek odrywa się od trosk i problemów codzienności, co pozwala zanurkować w tej czy innej transcendencji, muzyka gładka jak w ikei, na półkach książki kucharskie, kalendarze, diety cud i magia, przewodniki, dzienniki, wspomnienia i listy, listy do siebie, listy między sobą, listy o sobie, po co te stare friki się uzewnętrzniają?, nie dość się nachapali przez całe życie?, do grobu to wezmą?, to jest zamach na młodość, zabierają nam chleb!, osiem dych na karku, ledwie to dycha, a jeszcze sięga kośćmi po bułę!, listy, psia krew, pisze, a ty człowieku nie masz co do gęby włożyć, a do wybrednych nie należysz.

Ale oto jesteśmy, witam szanowną panią, mówię, bo ta dupa zawsze była mi przychylna, jak się pani miewa?, świetnie, ja też świetnie, to gdzie mam podpisywać?, mówię i pokazuję, że mogę się nawet podpisać na cyckach czy coś w tym stylu, w grę wchodzi nawet drobna prowokacja, bez tego zgnuśniejemy do cna, może mi pani wierzyć, mówię.
Nic pan nie będzie podpisywać, mówi, twarz jak sweet focia, kryje się za tym chyba zaproszenie.
Jak to?, mówię, toż nowina!
Przecież nie wydał pan żadnej nowej książki, prawda?
Prawda!, mówię i wkurwia mnie ten akcent na *nowej*, bo są stare, nie zawsze to co nowe jest lepsze od tego co stare, to jest jakiś zły nakręt współczesności.
Tak, tak, mówi, Panie sławku, specjalnie mówi dużą litera, żeby mnie do czegoś przygotować, tak mówi intuicja, chodzi o to, że ma pan spotkanie z panią Basią.

Mityng na najwyższym szczeblu, dlaczego nikt nic nie powiedział?, mógłbym się przygotować, strzelić co nieco, o suchym pysku negocjować z wierchuszką?, toż niepodobna!

Nie ma tu jakiegoś wina, mówię, jakieś promocji dla czytelników?

Niestety, ale mogę pana poczęstować kawą.

Dobrze, niech będzie kawa, dwie śmietanki i dużo cukru, mówię, co za syf, idziemy za parawan, tu zainscenizowany pokój rozmów, przestrzeń dwa na dwa, płaszcze albo szlafroki zwisają z uchwytów, przez to jeszcze ciaśniej, na stole pudełko z paluszkami i mieszanką, różne sprężynki, uszka, zawijasy, wszystko słone, będzie mnie po tym suszyć jak psa.

Strasznie mi się podobało, mówi, to jest bardzo przyjemna w obyciu dziewczyna, gdyby ją podrasować tu i tam, może by co z tego wyszło, ale dajcie mi przynajmniej lampkę wina, bo czegoś bym chlapnął, chemia po tych dwóch setach w sumie nie najgorsza, co wcale nie znaczy, że nie może być lepsza, śrubuj jakość człowieku, ojciec ci to mówi.

Co?, mówię.

Powieść, którą pan do nas wysłał.

Wysyłałem coś?, mówię, żart chwyta, uśmiecha się, robię głupią minę, brnijmy w to do końca.

Pan zawsze obraca w żart, naprawdę bardzo byśmy chcieli to wydać, pana poprzednia książka.., ach!, mówi i zaczyna się głośno dziwić, że nie było nominacji do żadnej nagrody, prawdziwy skandal!

To są układy, mówię, bo weszła mi w słowo, tak zwana ustawka, wiadomo, o co chodzi i mrugam jej okiem, że układ scalony w kulturze, szajka, która pocięła tort na kawałki i nie pozwala pożywić się wolnomyślicielom, rządy pierdolonych dziadów i młodych kolesi, którzy ciągną dziadom fiuty, proszone obiadki, czwartki, orgietki, cokonat prosto z cocolandu, potem dziwki na żetony, wszystko po cztery złote, żenada, kurwa, zabawa w piaskownicy świata.

I ona wie, czytam w oczach, że sama musiała ciągnąć, gdzieniegdzie i od czasu do czasu, ale teraz już nie, już wie, że to obrzydliwe i bardzo chce naprawić błędy z przeszłości, stanąć na wprost korporacji wydawniczej z koktajlem, tylko jeszcze nie wiadomo, czy mołotowa, nawet fajna z niej laleczka, gdybym się fest spił, pewnie skończyłoby się w łóżku, tu za parawanem, wśród tłumów na targach, dobre, zdrowe pompki, heja, hejka!

Mogę panu zaproponować wodę mineralną z cytryną, czy raczej herbatki?, proszę się nie krępować, staramy się, żeby każdy autor czuł się u nas jak w domu, proszę słodzić do woli, mówi, a nawet przysuwa cukiernicę, żebym nie musiał sięgać.
Dobre, mówię, smaczne są te słone przekąski, zazwyczaj odżywiam się słońcem i raczej ciasta i glutenu unikam, ale zdarza się, że po prostu trzeba, mówię, a ona prowokuje coś o słońcu, że lubi i wiem nawet, jak to się rozegra, wydawnictwo załatwiło dla autora stypendium, sterowany rynek grantów, słoneczny pokój z widokiem na morze i wiem, że ona wprost nie może się doczekać, żeby przetłumaczyć moją powieść na język ciała, wspólny wielki sen, krótki romans, a wieczorem sauna, zimne napoje, może pejcz.., chyba nawet coś do mnie mruga, choć to raczej nerwówka, bo kątem oka czuć, że za plecami Wydawca jak cień, więc ona na baczność, spotkajmy

się może potem, mówię, jeszcze się nie odwracam, zapraszam panią na kawkę.

Nie wiem, czy pan jeszcze będzie, mówi, lico jak z porcelany, że tylko dotknąć, a rozpadnie się jak wydmuszka.

A kiedy pani kończy?

Za godzinę.

To myślę, że się wyrobimy, co?, mówię i wskazuję głową na Wydawcę, ale ona wątpi, chyba nie muszę ci jak niewiernemu tomaszowi palca tam wsadzać, co?, mówię.

Jądra ciemności

Proszę, proszę, niech pan usiądzie, mówi ona, ale już siedzę, tak że nie wiem, czy podnieść się na baczność i siąść, ale przecież jesteś oburzony człowieku, więc okaż to, w żaden sposób się nie podnoś, ale na wszelki wypadek unoszę tył na tyle wysoko, żeby to nie wyglądało na wstanięcie i opadam jak pensjonarka, z lekkim przyklaśnięciem.

Taa.., co my tu mamy?, skanuje tablet, zmarszczone ułamek sekundy czoło, tablet jak sufler podsuwa tekst i ona wchodzi w rolę jakby nie aktorstwo, a prawdziwe życie: ach!, panie sławku, cieszę się, że wreszcie możemy się zobaczyć, co u pana?, wszystko w porządku?

Bardzo dobrze, mówię, nić sympatii kręci się między palcami jak wata cukrowa, być może to dobrze, być może źle, kto to teraz, na tym etapie, wie.

Nic pan się do nas nie odzywał.., myśleliśmy, że pan nie żyje!, mówi i śmiejemy się z tego, zawiązuje się luźny klimacik, wszystko przemawia za sukcesem.

W pewnym sensie, mówię, to była symboliczna śmierć, droga przez mękę, życie na balustradzie, cienka biała kreska, wie pani, o co chodzi.., na dodatek piekło toksycznego związku i jeszcze parę innych pomniejszych historii.

Wiem, mama umarła.., mówi, jest tak świetnie rozpromieniona, że robi za madonnę, w jej ramionach dojrzewa moje nowe powieściątko, na tym mleczku pewnie by się bestseller uchował.

Mama?, mówię, co ona mi z tą mamą teraz?, ale czyja?, moja?, mama ma się dobrze.

Mam wrażenie, że wspominał pan o tym w mailu do gośki.., proszę poczekać.., gośka!, krzyczy.

A zresztą mam tu wydruki.., mówi, w czarnej aktówce plik białych kartek i to jest dowód, że do rozmowy jest znakomicie przygotowana, platforma porozumienia dryfuje na wzburzony ocean przyczyn i skutków.

Aa.., bo widzi pani, mówię, to były wtedy takie różne sytuacje, być może nawet performance, artysta robi sztukę z życia, bo życie jest sztuką, a właściwie sztuką jest przeżyć.

Czyli sztuka z życia wzięta, mówi, w pliku białych kartek dowód na sprawę z mamą, ładuje się cytat *uprzejmie zawiadamiam, że z powodu śmierci Mojej Mamy nie mogłem dotrzymać terminu oddania książki pod roboczym tytułem BeautyFree, powieść jest prawie skończona, wymaga tylko małej redakcji. Manuskrypt zostanie wysłany najpóźniej za dwa miesiące, z poważaniem Sławomir Shuty™*, i tu jest, panie sławku, data tego maila, mówi.

Tak, tak, mówię.

I jeszcze dołączone zaświadczenie od specjalisty o trwałej niezdolności do wykonywania zawodu, syndrom niemocy twórczej.., taka jednostka chorobowa nie istnieje, panie Sławku!

Wiem, wiem.., mówię tak, bo wiem, ale też nie wiem, co z tym zrobić.

To już było prawie pięć miesięcy temu, domyślam się, że jest pan już zdrowy, proszę opowiedzieć, czym się pan teraz zajmuje?

O!, mówię, bo to lubię!, czym się teraz zajmuję, to jest mój temat konik.., czyli mówi pani, że moja ostatnia pasja?, proszę sobie wyobrazić, że rozmyślam o czymś do teatru, jakieś coś na scenę, klasyczna struktura, ale swoisty eksperyment lingwistyczny, rzecz dzieje się na ekofarmie, po prostu współczesne noce i dnie, boguniemił i ruchosława, w tym wszystkim zjawia się trzeci jak w *Nożu*, w sprawę wchodzą miejscowi i dochodzi do jatki, czyli polskie nędzne psy, generalnie ostry stuff, paradise city where the grass is green, a girls są sprute, z tego da się zrobić powieść, sprawa jest już prawie na finiszu, pozostało nacisnąć czerwony guzik.., jednym słowem potrzebny jest piniądz, wie pani, o co chodzi, być może niewielka nadprogramowa zaliczka, choćby i kilka..

Teatr?, świetnie!, mówi, to się może dobrze sprzedać, to jest na to czas!, zapala się wizją, więc podtrzymuję ogień, to jest uderzenie skierowane w samo serce rynku, wszyscy będą pisać!, mówię.

Niech pan opowie coś więcej?, domyślam się, że autotematyzm..

Co?, mówię.

Ten teatr, panie sławku..

Ach, mówię, wielkie, potężne przedsięwzięcie.

Dramat?

Jak najbardziej, mówię, bo to jest kozi róg, gdzie mnie wpędza, więc dla odmiany patrzę na jej wisiorek, treść raczej religijna, przedmiocik wywołuje wspomnienia, tamta zima, jasełka, arka pana, jezus w kazamatach kaplicy, ciemność i światło, we wnękach oświęcimskie piety, na scenie diabły, na sianku lalka, ale maryja prawdziwa, dzieci szarpią się za kurtki, wrzeszczą, nawet na się spluwają, matki nie interweniują, a teraz jest sekwencja rzezi niewiniątek, lecą, głowa za głową, król ma krew na ustach, matka boska czerwoną szminkę, teraz widzę, że to ona, pani basia, tapeta jak na starej wariatce, twarz podkreślona cieniami, słowem czysty ekspresjonizm, walczę z wizją jak z *m jak mordercą*, ale gnojstwo goni mnie wśród tych nierównych kamienic, świat kątów ostrych i rozwartych jak paszcza szaleństwa, nurkuję do dna, w halucynogennym szlamie trudno znaleźć opokę, wreszcie skała i odbijam w górę, krzywe lustro rozpęka się jak wizja.

Widzi pani, chodzi o pewien symbol, może to jest kwestia przełomu wieków, a nawet tysiącleci, po prostu powrót do dzieciństwa, jasełka, ale forma zdegenerowana, mit uwspółcześniony, nie pasterze, a ochroniarze!, postaci muszą być mięsiste, wielowymiarowe, coś z kantora, coś z hasiora, sama narracja na miarę faulknera, intrygi, zdrady, dziury czasoprzestrzenne, skoki prosto we względność.

Czyli dzieciństwo ujęte w formie średniowiecznego misterium, święta frojdowska trójca, ojciec, matka, a pan wystąpi w roli dzieciątka?

Skąd pani..?, mówię, bo to miał być deser, wisienka, że to się wszystko odbywa z perspektywy dzieciątka, tej lalki tam na sianku, mój subiekt i egzegeza tamtego świata, że to by było tak, jakbym patrzył na wszystko kamerą obscurą z oczodołów, czyli prymitywne 3D, mówię, albo i nie mówię, już sam nie wiem z kim i z czym, co się wydostaje poza granicę ust. Panie sławku, jest niezmordowana albo zaczyna się droczyć, to jest świetny pomysł!, rozumiem, że jutro podeśle pan tekst?

Ta kwestia niepotrzebnie płoszy mnie z wizji, bo jeśli chodzi o to, mówię, to pojawiły się pewne niekorzystne tematy, tekst jest w zasadzie gotowy, ale muszę go skonfrontować z moją psychiczną aktualnością, tak że mam wrażenie, że to się już wkrótce zamknie, ostatni szlif, ale zapewniam, że kompletny przełom na rynku wydawniczym, europa już oszalała i kupuje jak szalona, prawa do tłumaczeń nawet na spolszczoną angielszczyznę.., mówię, byleby z tego wszystkiego wybrnąć z twarzą, niech będzie nawet pokiereszowana, byleby własna.

A co z tekstem, który chciał pan wysłać do nas poprzednio? *Życie seksualne Łemków?*, cha, cha, mówię, to żart, mówię, jak wyście to tam mogli potraktować poważnie!, bo jak oni to tam mogli potraktować poważnie, ale to jest dowód na to, że tymi molochami kierują smutni urzędnicy.

Nie, nie, mówi, niech sprawdzę, grzebie w tych białych kartkach, tam są nawet moje zdjęcia z basen party, artykuły szkalujące, drobne skandaliki, spocone pachy, zmoczone krocze.

Powieść, mówi, miała się nazywać *Dziennik pisany na opakowaniu po petach*..

Ach tak!, mówię, dziękuję, że pani o to zapytała, bo to jest świetne pytanie i brzmi dokładnie tak, jak mógłbym sobie je wyobrazić, gdybym był kimś w rodzaju pani, co nie znaczy, że to nie byłaby interesująca przygoda, widziała pani może *Być jak John*..

Kiedy pan..?, przerywa, w głosie pojawia się natarczywość.

Chciałem powiedzieć, że tekst..!

Ach!

A jak sprzedają się książki?, mówię, jest wielka potrzeba odbicia piłeczki w tym kierunku.

Tendencja spadkowa.., proszę, oto dane, na stoliku ląduje wydruk, są tu tabelki i wskaźniki i wszystko wskazuje na to, że krzywa chyli się ku upadkowi.

???, dławi mnie prawie jak ość, bo to jest dla mnie jak dziesięć przykazań, ten nagły wydruk o tendencjach.

Kradną własność intelektualną, panie sławku.

Wiem, od dawna!, mówię, bo wpieprzyli się mi do głowy, gnoje ciągnące za języki w knajpach, sanatoriach, hakerstwo mentalne, plaga artystów.

Złamali zabezpieczenia!, mówię, na twarzy u niej szczere zatroskanie, książka nienapisana, a pomysł ukradziony!, mówię, skurwysyństwo, dziadostwo, rynek, plaga!

Pan lubi czarny humor i właśnie dlatego podczas spotkania członków zarządu próbowałam bronić.., cóż, zapadła decyzja, że wydajemy.., mówi i patrzy na mnie zalotnie jak nimfa, prawie się jej kładę na kolana, czesze mnie po brzuszku i nagle słyszę, że to naturalnie żart, bo ona też pozwoliła sobie odrobinę pożartować.

Nie wiem, czy pan sobie przypomina naszą ostatnią rozmowę telefoniczną..

..acha, tak!, mówię, ale nic poza *acha, tak*, bo jeżeli ktoś wpieprzył mi się do głowy, to mogli to być właśnie oni, kapitalistyczne wampiry energetyczne, tak zwane wydawnictwo..

..dotyczącej powieści, którą wysłał nam pan około miesiąca wstecz..

..o widzi pani!, mówię, piłka po mojej stronie, czyli coś wysłałem, pozycja przetargowa od razu lepsza, naciśnij te kurwy o szmojt, niech bulą, zarobili na przekładach jak na chińskich majtkach, eksploatuj to złoże człowieku, bo jest głębokie.., ale cały ten pokoik zaczyna na mnie napierać jak macica przed ostatecznym skurczem, siatki, kurtki, paczki, wszystko staje w gardle..

Pan wie, o co chodzi..?
Oczywiście, mówię, bo chodzi o miłość, pieniądze, brylanty i krokodyla..
Panie Sławku, powiem tak: znakomita.., naprawdę świetna.., przeokropnie zabawna, mówi, nabieram w żagle i już jestem na morzu, ale dodaje, że kiedy skończyła lekturę, była niestety nie zaczarowana, ale rozczarowana, bo o co, panie sławku, właściwie chodzi?

Mieszanie porządków, kolaż z rzeczywistości, mówię, bo o co chodzi, to się wcale nie przypomina, jestem pusty jak własne konto, pałuba tu z nią siedzi i rozmawia, mózg wyżarty przez sukuba, chodzi przecież o to, że kim my właściwie jesteśmy? Uściślimy to nieprecyzyjne pytanie: o co chodzi? Czy musi o coś chodzić?, nie ma potrzeby precyzować, uściślać, puśćmy lejce rozumu, niech nas poniesie intuicja!

Proszę powiedzieć, ale szczerze, ma pan w ogóle jakieś poglądy polityczne? Odnoszę wrażenie, że za pani słowami kryje się oskarżenie o bezpłciowość!, odbijam jak w środku ciężkiego debla, pomysły jak kochanki pojawiają się i znikają, wszystko w człowieku jest funkcją strachu przed śmiercią, czyż nie?, mówię, szczytne idee o komunii dusz kończą się mniej czy bardziej zakamuflowanym stosunkiem władzy, mówię, a który pies zaszczeka głośniej, ten się zaraz wydaje charyzmatyczny i to jest właśnie polityka, mówię i mówię.

Dobrze, panie sławku, żeby nie tracić niepotrzebnie czasu.., mówi, przerywam to jak ciosem karate, czas, czas, czy to nie wspaniałe, że kiedyś zdechniemy?, mówię i unoszę się, proszę nie patrzeć na mnie jak na ignoranta!, bo grupa tych poglądów pozwala mi zachować twarz, trzymać sztywno kręgosłup moralny, a zarazem nie popadać w naiwny radykalizm, to się nazywa być elastycznym, czyli gotowym na przyjęcie prawdy.. Do wszystkiego potrzebne są nakłady środków finansowych, a naszego wydawnictwa nie stać, by je ponosić, wracając do sedna, ustaliśmy, że kierunek naszej współpracy jest nieadekwatny, dlatego jako poważne wydawnictwo, które od wielu lat promuje polską kulturę na całym świecie i jest dumne z posiadania autorów, których zaszczyciły nominacje do różnych, nie tylko państwowych, nagród, z przykrością powiadamiamy, że jednogłośną decyzją rady programowej i poparciem wszystkich członków zarządu postanawiamy, że powieść nie ma potencjału bestsellerowego i tak sformatowanej nie przyjmiemy, co oznacza, iż w tym świetle nasza umowa wygasa, a autor jest zobowiązany zwrócić zaliczkę w nieprzekraczalnym terminie trzech tygodni.

Ależ co pani!, mówię, bo to, co mówi, nie jest hardcorowe, to wyrok, czapa!, potraktowany jak józef ka, i próbuję walczyć, szarpię się, jakby mnie dopiero boski lalkarz uruchomił, policzkujemy się prawie, wreszcie łkam, patrzę na nią ze łzami w oczach jak w nakaz komorniczy, tobie, kurwa, przykro, a ja nie mam co do gęby włożyć, chcę powiedzieć, ale nie mówię, bo oczy jej gadzie, to nie kobieta, a kobra gotowa do skoku, nabieram powietrza, a ona mówi, że *Arbeit macht frei* i że w tym stwierdzeniu jest wiele prawdy, i że się skończyło, bo przeciętny człowiek, który włamuje się do miejskiego zoo po to, aby ukraść pisklęta papugi kakadu i zrobić z nich szaszłyki, tego pana bełkotu już nie kapuje, nie kupuje i na rynku nie ma miejsca dla tych, którzy pielęgnują predyspozycję do niedyspozycji, tym bardziej, że pojawili się nowi, lepsi, świeżsi.

Pani basiu, klękam, ja wszystko wiem!, rozumiem!, o czytelnika trzeba dbać i dlatego chcę dać mu to, czego chce, w przystępnej dla niego formie, a on odpłaca się miłością, mówię, zawsze po wieczorkach autorskich podchodzą do mnie dziewczynki w strojach regionalnych, wszyscy wręczają mi kwiaty, później rozdaję mnóstwo autografów, bawimy się razem, ćwiczymy, bratamy, dajemy ujść emocjom!, i wstaję od stołu, jaki, kurwa, szok!, ty kurwa, mówię, wirtualna rewolucjonistko, przejarana stara locho, łowca androidów zrobiłby z tobą porządek, krzyczę, bo przypominają się wszystkie filmy o obcym, jak obcy wychodzi z brzucha, jak obcy sika kwasem, jak robot rzyga białą wydzieliną, i te jaja z żywymi kutasami, myśl o iniekcji kosmicznym fiutem wywołuje sensację, zwracam na stół, ale nie zaliczkę, dlatego ona krzyczy, a ja trzymam się ściany niczym pijany, wchodzę w ledwo widoczny otwór wyjścia, zdzieram jeszcze te zawieszone na ściankach łachy, kurteczki, katanki sypią się jak zboże z dziurawego worka ze zbożem.

Idę do konkurencji, krzyczę i zdzieram więcej łachów, rozdzieram jakieś reklamówki jak szatę nocy, bo właśnie zabili mesjasza, na ziemi lądują też sterty książek, skończyła się tu, kurwy, wasza promocja!, nie chcemy was tutaj, my, właściciele tych ziem!, znikam w tłumie, dwie uliczki dalej kantorek konkurencji, tu mnie zawsze prosili o teksty, pan, panie sławku, niech pan napisze choćby jadłospis, a my to oprawimy i sprzedamy w tysiącach biedronek, więc ona się uśmiecha na mój widok i znów brniemy w trzewia, zaplecze, sterty otwartych pakunków, na czerwonej kanapie pani w średnim wieku, żółta nikotynowa cera, wyraźnie spracowana, może przepita, tuśmy braćmi, ale zdania składa okrągłe, przysłuchuję się ustom, mają niemiecki kształt, opadnięte kąciki, niedowład i trauma niemal podręcznikowa, źrenice demona jak z apexa, a może to wtyczka, która chce odłączyć życie..

Tak, wydamy z chęcią, cokolwiek, ale musi się pan zgodzić na specyficzną politykę promocyjną, mówi, jest pan zdolnym, młodym człowiekiem, ale czy takiego zdolnego, młodego człowieka nie nachodzą czasami dziwne myśli?, na przykład co by było, gdyby tak nagle wstać i wyskoczyć przez okno, nie mówię, że teraz, tym bardziej, że nie ma tu okien, ale potem, w domu.., mówi, bo każdej książce potrzebna jest tragedia z krwi i kości, nawet nie tekst, ale charyzmatyczny autor, postać mięsista i autentyczna, która nie cofa się przed niczym, co samo w sobie stymuluje sprzedaż, widzi pan te nagłówki w prasie?, *pisarz nie poradził sobie z kryzysem i..*, sam pan wie, gaz?, skok?, overdawka?, to pan jest twórcą, a my niczego nie sugerujemy, nie wolno nam, naświetlam jednak pewne wytyczne, sam pan wie jak trudny to rynek, musi istnieć długookresowy plan, wizja, a jaka to jest wizja, tym się właśnie zajmuje nasz departament badawczy, specjaliści z całego świata!, mówi do mnie i kończy, że pan, panie z huty, na coś się może zapowiadał, ale teraz, widział się pan w lustrze?, zwykła szmata.

Macie mnie za chłopca na posyłki, wy świnie!, krzyczę, głos odbija się o prowizoryczne ścianki i wzlatuje ku konstrukcji dźwigającej metalowy dach, co niesie dużą dawkę autentyzmu, a może by się tu rozebrać do naga?, rodzaj deklaracji niepodległości, ściągam spodnie, nabieram powietrza, by ponowić wolnościowy apel, ale teraz zjawiają się dziadki z ochrony, jeden z gazem, drugi z pałą, kurwa!, panie, coś pan, zwariował!

Spieprzajcie mi tu, dziady!, won stąd!, mówię, ale wykręcają ręce, gaz pieprzowy w oczach, wynoszą prawie nagiego, jak karp pod nóż!

Panie, załóż mi pan spodnie przynajmniej, mówię, ale ciągną dalej przez ten korytarz, spodnie spuszczone do kolan, jakieś bokserki, nie chcę myśleć nawet, czy nie dziurawe, hańba na każdej linii. Puszczać!, krzyczę, a goryle posłuszne, puszczają, bo jesteśmy na parkingu, i nagle pojawia się dziecko, w ręku cyfrówka. Kurwa, paparazzi!, mówię i wyrywam z rączek sprzęt, nie będziesz mi robić zdjęć, gnoju!, mówię, ale ono mówi, że robi zdjęcie reklamie. Dobra, dobra, mówię i niszczę aparacik, i wtedy jak spod ziemi zjawia się stary i bęc mnie w pysk, to ty tak tu!, mówię, to tak to!?, ale przyjmuję raz jeszcze w czaszkę, lecę na ryj i widzę, że tam rzeczywiście reklama czegoś, wielkie słońce tybetu i już ogarnia mnie ciemność jak noc.

Pobudka nad morzem, słoneczna aura, na deptaku western, na każdym rogu kurwa, co krok suka, pały dowcipkują z gangsterami, wszędzie medialne ulicznice, ludzie trzaskają im zdjęcia jak japończycy, biore se lody włoskie, nawet dają się lizać, lecz w lodach wykałaczki, a nawet kiep, skąd kiep w lodach?, solara z lodziarni drze łacha z odpalającym lakistrajka fagasem, obok budki z lodami grają w trzy kubki, przez myśl przelatuje, żeby zaryzykować, bo dostojewski też ryzykował i potem to opisał, ale gość z przodu traci zegarek, portfel i sygnet, który wygląda na rodowy, więc napieram dalej, na ulicach trwa napierdalanka, tłum dopinguje zawodników, kolesie kopią się po jądrach, kasują facjaty, kości trzeszczą, czaszki jak bębny, więc może to jest metoda na życie, neurochirurgia plastyczna, uderzeniem uszkodzić płat czołowy, co może doprowadzić do geniuszu, którego beneficjentem był dostojewski, bo przecież on z tymi płatami coś miał i jestem gotów podłożyć się pod piąchę, ale zawody ogląda matała, który jak tylko mnie widzi, zakazuje poszukiwań geniuszu, logujemy się na polu biwakowym, żeby się jakoś wpasować przyjmuję pół łajna i udziela się klimacik, lądujemy na plaży, jest już wieczór, są dziewczyny, hej, dziewczyny, mówi matała jak gwiazdor disco i pokazuje flaszkę za paskiem jak zboczeniec fiuta, one rzec jasna nie chcą, robimy flaszkę Y staczamy się Y robimy to każdy sam sobie, albo sobie sami, a kiedy jest już po wszystkim, idziemy pływać w świetle księżyca, nurkuję, w wodzie czarny kształt, może lewiatan, ale to jest mniejsze, czyli mam szczęście, bo pewnie delfin, rzadko spotykane tu zwierzę, a chwilę potem to wygląda na meduzę, co też jest nie lada gratką dla nurka podziwiającego podwodną faunę i florę, ale to jest podpaska, która opada na dno jak całun.

Muza

Ale ty masz człowieku zachcianki, czeskie piwko, śledzik po japońsku, słone paluszki, orzeszki i raz jeszcze piwko, zachciewajki legną się jak fiksacje i nie ma rady, musisz człowieku hołdować wszystkim, co do jednej, nawet się myśl nie pojawia, żeby nie, bo czy można?, co w sposób naturalny pozwala myśleć, że jestem.., nie, nie, to niemożliwe, choć, czyżbym był..?, ale jak?, skąd?, kto?, kiedy?

Myśl natrętna, że może jednak tak, że lepiej sprawdź człowieku, więc lecę do apteki po test, w domu w toalecie moment zawahania, że zaraz prawda wyjdzie na jaw i być może wielkie rozczarowanie, znów zero, lepiej żyć złudzeniem, przynajmniej kilka dni, dać się ponieść nadziei i popłynąć z falą, człowieku musisz cieszyć się chwilą, ale jednak ciekawość, znaczę test materiałem badawczym, zamykam oczy.

I jak?, cóż, czyli tak, wynik pozytywny, ale jeszcze się nie ciesz człowieku, bo błąd statystyczny i tak dalej, testy są wadliwe, przedatowane, idź lepiej do apteki i weź drugi, biorę opakowanie, dziesięć sztuk w zgrzewce, nie czekam, sprawdzam w parku, dziesięć, jeden po drugim i wychodzi, że nie inaczej jesteś w ciąży człowieku!

Lekarz prowadzący rozpływa się w uprzejmościach, no panie sławku, wspaniale, wreszcie się doczekaliśmy rezultatów, co potwierdza skuteczność terapii!, proszę spojrzeć, to tylko zalążek, ale jak wspaniała tendencja wzrostowa, o tu, ledwo rysująca się biała linia, to struna grzbietowa, ile to się mocy mieści w takiej fasolce!, siła przetrwania skumulowana w punkcie zero, niech pan spojrzy z tej strony, jest piękna, prawda?, proszę być pewnym – to coś wielkiego!, mówi do mnie jak członek akademii podczas ceremonii, więc proszę o wydruk usg, pierwszy skan maleństwa, zobaczymy się za dwa miesiące, proszę o siebie dbać!

Pewnie, że będziemy o siebie dbać i dobrze, bo jest kilka rzeczy, które chciałbym zjeść, po prostu pewna realizacja smakowa, na samą myśl podniebienie wypełnia przyjemność i to jest jak oświecenie, na takie chwile czeka się latami, więc wpadam do kuchni, na półkach w szafkach przetwory, wpieprzam te słoiki, weki, blade kule jak jądra knura, nawet to jest mięsiste w smaku, to ci przynosi witaminy, a musisz teraz człowieku dostarczać sobie tego co najlepsze, bo nosisz pod sercem nowy byt.

Taktyka się sprawdza, codziennie przyjmuję idealną mieszankę, baby rośnie jak na drożdżach, nawet nie zauważam, kiedy brzuch się zaokrągla, nawet przyjemne uczucie, będziesz nosić wielkie imię!, to wszystko będzie w przyszłości procentować, fermentować, wydawać owoce, a owoce będą rodzić własne owoce, tak że się z tego zrobi łańcuszek, piramida, na szczycie drzewa rodowego, w samym korzeniu, praojciec JA.

Wkrótce zaczyna mnie to kopać, pcha się do wyjścia, uspokój się, mówię, siedź tam i oblekaj w kształty, dekoruj szczegółami, musisz być piękna i silna, bo będą cię poniżać, lżyć, więc na razie przyswajaj najcenniejsze soki taty, mówię, wewnątrz się uspokaja, nakładam na talerz porcję śledzi, pod piwko, tym razem porter, potem to poprawiam stoutem i znów śledzie, słone paluszki, orzeszki, fistaszki, różne, tak że mi to wreszcie staje w gardle jak szpunt i muszę zwrócić, żeby dalej żyć.

Podnoszę się z klęczek, kibel też jest już pełen i woda nie schodzi, gdzieś tam się rozwinęła w rurach miażdżyca i nagle ślizgam się na kaflach, upadek nie w pełni kontrolowany, mała amortyzacja ręką, byleby tylko dzidziusiowi się nic nie stało!, spokojnie, głębokie oddechy, kołatanie serca ustaje, jest dobrze, jest hokej człowieku i nagle skręt w kiszkach, ostry, przeciągnie jak rwa, ktoś tłucze jajko od środka!, aaa.., krzyczę jak ranny, bo coś otwiera, między nogami czarny kleks, jezus maryja wody odeszły!, więc dzwonię, doktorze, szybko!

Panika, painkillery wchodzą garściami, ulga wielka jak rzeka wołga, ale zaraz zgaga, na szczęście już tu jest, wbiega przebrany w biały kitel jak piekarz, rozwarcie jak trzeba!, niech pan prze!, panie sławku, niech pan PRZEE..!
PREE..!, krzyczę jak matka, ktoś ściera pot z czoła, wokół ciągle doping, że *przyj!*, i nagle on, że *ma to!, jest!*, podnoszę się

na łokciach na wpół przytomny i krzyczę ze szczęścia i prę, *przyj!*, widać!, ładnie zarysowany grzbiet, wkrótce na zewnątrz cała okładka, da się nawet rozszyfrować tytuł, choć wciąż nieco zamazane, ale obwoluta ładna, a całość gruba jak ryba, prawie miniencyklopedia!, łzy na twarzy, wzruszenie ściska gardło jak morderca, mierzą ją i ważą, podziwiają, ustawiają się w kolejkach po autografy.

Panie sławku, coś wspaniałego!, wzorzec!, na pierwszy rzut oka dziesięć w skali apgar, mówi, mam nadzieję, że środek będzie trzymał w napięciu.

Z pewnością, mówię, tnę pępowinę jak stary rzeźnik, siostra to bierze, opatula w ręcznik i wyciera, i dopiero wychodzą, jedna za drugą, złote litery, nawet fajny dizajn okładki..

No chodź na rączki do taty, moja ty biblijeczko.., mówię i rodzi się między nami więź, to jest taka jeszcze bezbronna kruszynka, mówię, historia z ledwie zarysowaną puentą, ale to będzie rosło, rozleje się jak rzeka świadomości.

I podkarmiam to kilka miesięcy samym najlepszym stafem, jagnięcina z płetwala błękitnego, steki koala, burger z kakadu, tak że się to szybko obleka w sensy i zaczynam się obnosić, pokazywać dzidziusia, przypadkowe ustawki dla paparazzi, sesje na okładki magazynów, karma plotkarskich portali, moje baby i ja, ale na horyzoncie czarne chmury, serial chamstwa i nienawiści, jest ich coraz więcej, będzie lać rzęsiście, może i gradobicie, powietrze gęste jak kisiel, pająki, komary, muchy, kleszcze i mendy, wszystko zaczyna kąsać jak wampir.

Hańba!, rozczarowanie dziesięciolecia!, syf, jak można wydawać takie gówno?, eksperyment komunikacyjny!, chuja tam!, zwykły bełkot! Po prostu marnowanie papieru, ile drzew pójdzie pod nóż, żeby ludzie zrozumieli, że Matka Natura jest ważniejsza od samorealizacji jakiegoś grafomana, powiesić tę dziwkę za jaja i spalić żywcem!

Won, mówię, zostawcie me dziecko!, ale osaczają, wyrywają maleństwo, wykręcają rączki, wyłamują nóżki, drą na strzępy, a ono konając, kwili, zrób z tym coś człowieku!, ale nie mogę, skamieniały z trwogi, patrzę na to z szeroko otwartymi oczyma jak na stodołę pełną ludzi, pod którą ktoś właśnie podłożył ogień, krzyk odbija się wśród czaszki, echo jak w jaskini, wpadam w otchłań studni, głębia wypluwa mnie jak napęcznianego gazami trupa, co?, gdzie?, jak?, kto?, ach, majak.., a przy łóżku otwarty słój z bladymi kulami śliw, na powierzchni dekiel pleśni.

Opadam w miękisz barłogu, sen czyste proroctwo, że dziecko, czyli czar złamany, a chemia to potwierdza, czyste katharsis, w mózgu kryształ górski i oto wracasz do pracy w wielkim stylu człowieku, usiądź i dotknij klawiatury, a słowa pocieką jak ocet z obficie nasączonej nim gąbki, błogosławiony stan natchniony.

Odpal, odpal się wreszcie, mówię, bo to gówno odpala się godzinę.

No, mówię, no, otworzysz się czy nie, i wreszcie się łaskawie otwiera, ale zanim to se coś tam poskanuje, wczyta ikonki, graficzki, sprawdzi ustawienia, przeleci antywirem, to jest kolejne pięć minut.

Przecież pomysł uleci!, mówię, szukam kartki, czegoś do pisania, ale nie ma, jak na złość, tak zwana martwa materia pokazuje charakterek, opór fizyczności jest porażający, wszystko potrafi spieprzyć, no w końcu się to włącza!

Otwórz sobie nowy projekt człowieku, bo to co przed chwilą wyśniłeś, to jest świetne, tworzę nowy plik, nowypomysł.doc, ale nowypomysł.doc już jest, więc nowypomysł1.doc, ale plik o tej nazwie istnieje, pulpit zasrany ikonami, nowypomysł2.doc, trzy, cztery, pięć, sześć, siedem, osiem, są nawet najnowszypomysł.doc, jeszczenowszypomysł.doc, extranowypomysł.doc, dobra, NAJnowszy pomysł4.doc, tego jeszcze tu nie zarejestrowali, uff.., ile człowiek użyje z tym gównem, wreszcie otwarte, dosiadam klawiatury jak pianista przed eksplozją wirtuozerii.

O czym to było?, ten sen?, majak, że..?, zniknęło, uleciało!, ledwie parę minut i nie ma!, bo natchnienie to są nanosekundy i albo jesteś gotowy na objawienie, albo czekasz, aż ci się włączy sprzęt człowieku..
Ty pizdo!, mówię i leję laptopa z liścia, i od razu komunikat o błędzie systemu, co teraz?, nic nie działa!, nie da się niczego!, restartuj dziada człowieku.., dobra, mówię, wchodzę w to, ale tak to się możemy bawić do samego rana, ja cię będę otwierał, a ty się będziesz zamykał, suko.

Jego to oczywiście wali, otwiera się we własnym tempie, za

oknem szara ściana, zacieki gruźliczej flegmy, jedno tu małe okno, jak portal do innego świata, kosmosu czarnej prawdy, bo musi się za tym kryć czarna prawda, bo takie otwory prowadzą do wnętrz kryjących gwałt i wynaturzenie, za plecami komunikat *baza wirusów została zaktualizowana*, wczytuje się tapeta, blondynka na plaży, szukam ikonki, dżungla pomysłów, chaszcze skrótów, linków, hiperłączy, w centralnym punkcie NAJnowszypomysł4.doc, to pyk go, kwitnie biała szmata, page i, wers i, kolumna i, napisać pierwsze zdanie człowieku to jak położyć kamień węgielny, wypalić pierwszego papierosa albo iść po raz pierwszy na dziwki, i to jest świetne człowieku!, idealny początek historii, *napisać pierwsze zdanie to jak położyć kamień węgielny, wypalić pierwszego papierosa albo iść po raz pierwszy na dziwki*, czy nie brzmi dobrze?

Wcale to nie brzmi dobrze, to brzmi bardzo dobrze człowieku!, możesz sobie pogratulować, bo dobre pierwsze zdanie to połowa sukcesu, a jeżeli przyjmiemy, że sukces to cała książka, to jego połowa jest połową książki, można śmiało zaryzykować twierdzenie, że jeśli udało ci się napisać tak dużo, to definitywnie musisz zwolnić, nie ma co przegrzewać procesora, jedna genialna wpadka na dzień wystarczy, przerwa ci się konstytucyjnie należy, ale dziś jestem pracuś, więc od razu jawią się drobne korekty, po pierwsze *dziwka* to banalne, lepiej – *kurwa*, choć *kurwa* pachnie *kurwidołem*, dość brudu, chamstwa, chamstwo wszędzie w państwie, dlaczego *kurwa*, a nie *kobieta zmuszona przez okoliczności do uprawiania zawodu nierządnicy, za który nie może odprowadzać podatków, nie mówiąc już o opiece zdrowotnej i emeryturze, a co gorsza jest wykorzysty-*

wana przez patrona, czyli alfonsa, dobrze to jest sformatowane, prawidłowo, pierwszy piktogram stworzyciela, patrzę na zdanie z góry jak bóg i pachnie to prostacko rozumianym altruizmem, empatią spod pióra lewackich przechrztów, którzy nadrabiają nowicjat wściekłością, *wykorzystywana przez okoliczności i patrona*, mężczyzna wyzysk kobieta, matryca stosunku władzy, sztampa z kobiecych dodatków, won więc z alfonsami i całym tym mafijnym gównem, niezdrową otoczką, bo przez co tak naprawdę może być zmuszony człowiek?, przez człowieka?, nie, nie, przez życie, zawsze przez życie, na tym polega tajemnica uwikłania, niech więc ona będzie zmuszona przez ŻYCIE.

Zatem poprawki, *napisać pierwsze zdanie to jak położyć kamień węgielny, wypalić pierwszego papierosa lub iść po raz pierwszy na schadzkę z kobietą zmuszoną do uprawiania zawodu nierządnicy, za który nie może odprowadzać podatków, nie mówiąc już o emeryturze, a na dodatek jest nieludzko wykorzystywana przez alfonsa czyli Życie*, jest lepiej, ale nie do końca, coś nie gra, czytam i nie wiem, nie wiem i nagle widzę, że znów się ten alfons tu przyplątał, wyrwać to jak zęba, i całą tę otoczkę o rencie i zdrowiu, to jest wszystko zbyt formalne, za bardzo ulepione, sztuczny twór, golem bez hasła dostępu, tnę to, skracam jak krawiec, który nie na takich wybiegach obstawiał gonitwy, *napisać pierwsze zdanie to jak położyć kamień węgielny, wypalić pierwszego papierosa lub iść po raz pierwszy na schadzkę z kobietą zmuszoną przez życie do nierządu*, czy raczej: *zmuszoną do nierządu przez życie?*, czy może?, *iść po raz pierwszy przez życie z nierządnicą?*

Biblijny klimacik się z tego zrobił człowieku, ta nieszczęsna *nierządnica..*, lepiej nie wpadać w patos, to zawsze żałosne, więc lepiej *kobieta źle się prowadząca, kobieta na zakręcie, na którym nie wyrobiła, kobieta po przejściach, bez możliwości wejścia, kobieta pracująca na własne utrzymanie przy pomocy ciała..*, albo mistycznie i dosadnie: *mięso oddawane w zamian za sos po to, żeby świadomość mogła być kontynuowana*, lepiej?, uch.., pod czachą pożar, człowieku zabuksowałeś jak terenówka w ciężkim błocie, z ekranu wieje banałem, pierwsze zdanie to dziwka, mówię i kasuję to gówno, i dalej się nic nie dzieje, patrzę w biel pliku jak kobra w fujarę zaklinacza, no wyjdź wreszcie ze mnie, przelej się na papier!, mówię, to zakrawa na jakieś jaja dziś!

Wykąp się człowieku, mówię, odpręż, bo nie uderzy tu żaden piorun, zresztą dopiero dwunasta.., bez pośpiechu, masz przed sobą dwanaście godzin arbajtu, odpocznij, weź kąpiel, wyjdź coś zjeść, dotlenisz się i zaczniesz za godzinkę, w wannie przypływ natchnienia, wycieram się pobieżnie, loguję za pulpitem, ale to są znowu jakieś żarty, co se żarty ze mnie robisz człowieku?, ale to jest może nie najlepszy dzień do pracy, są dni, kiedy muza pluje natchnieniem jak pestkami wiśni, a są takie, kiedy robi se jaja z pogrzebu, dziś, mówię, te byty odpowiedzialne za iskrę bożą po prostu mają wolne, powiem ci człowieku co musisz zrobić i nie schodź z tej ścieżki, bo to się zawsze kończy źle, takie działanie przeciw intuicji, co ci ona podpowiada?, wyjdź i doładuj się energetycznie, bo źle pisać na pusty żołądek, człowiek myśli o energii, a nie o pracy.

Gołąbek w sosie grzybowym, pierogi pół kapusta, pół ruskie i może jeszcze z pół barszczu, można pół barszczu?, to tak właśnie poproszę, mówię, mają tu nawet ruch, w większości typy bez zębów, konsumpcja w zwolnionych obrotach, na talerzach smutek tropików.

Barszcz z ziemniakami, mówi baba w białym kitlu, strasznie jest nieapetyczna, dziwne narośla na brodzie.

Z jajem, mówię, podają od ręki i jeżeli kapusta ujdzie, choć za słodka i mąki z gestem w zasmażce, to reszty nie idzie jeść, ruskie to jest zemsta za smoleńsk, karma dla zwierząt, styropian i mączka kostna, ale energia jest potrzebna człowieku, jeden ciepły posiłek dziennie, tak mawiają przepisy zdrowia, więc ładuję maggi, soli i pieprzu, jedzenie musi mieć smak, wciągam i wracam na bazę, po drodze do komisu.

Coś pani ma nowego?, mówię, różne są tu sterty i cuda.

No jest piękna statuetka, mówi pani i pokazuje chińską lampę stojącą jakby porcelanową, z której wykręcono żarówkę, wyrwano oprawkę i zalepiono dziurę gipsem, tak że jest to teraz rodzaj świecznika albo prymitywnej abstrakcji, w pewnym sensie kosmiczne drzewo, nawet niezła metafora i też przypomina dzieciństwo, w którym się sklecało coś z niczego, żeby coś cokolwiek było.

A to, co to za obraz?, mówię, zmięta brązowa szmata w kształcie kobiety, we fragmentach to nosi połysk złotego brokatu, za plecami cycatej układa się większy ciemny kształt, mężczyzna z uniesionym mieczem, czyli artysta poszybował poza granicę wyobraźni, w mroki prawdziwego pogaństwa.

A takie coś, mówi, coś takiego przynieśli..

146

Drogie?, mówię, bo mam ochotę na zakup kontrolowany, to by się pięknie wkomponowało w gniazdo.

Czterdzieści złotych, mówi, zawyżają tu ceny, to wiem, bo nie raz brałem różne badziewie.

Daje dychę, ona, że dwadzieścia, trzynaście, nie, przynajmniej szesnaście, piętnaście, dobra, i psychodeliczna scena rodzajowa staje się moją własnością, ta kobieta to matka natura gotowa do zerżnięcia przez człowieka, gdzieś mi się nawet otwierają wrota percepcji i akcje niemal z głębokiego niemowlęctwa wychodzą na jaw, przeszłość to jest źródło inspiracji, raduj się tym zakupem człowieku, sama rama warta z dwie dyszki.

Wieszam to po powrocie, szkoda tłamsić w stercie z innymi, bo dobre to jest, budzi zmysły, cycki są dobrze zrobione, krągłe jak u kamiennych hinduskich bachantek, bioderko, dupeczka, ciałko.., ruchałbym cię, mówię, co mi ta konstelacja przypomina, sytuację z dawien dawna i ona, muza, zaczyna trajkotać, najpierw niemrawym szyfrem, po chwili turbo speed, że nie można nadążyć notować, łapię ją za nadgarstki, ściągam cugle, muza, moja muza, moja bardzo wielka muza, wchodzę w nią, jestem w niej, ona jest we mnie, jest nam dobrze w tym rytmie, kooperujemy.., NAJnowszypomysł4.doc enter, lecę jak z automatu.

byłem widziałem to co się wtedy działo to trudno przkeazac chocny,m chciał to nawet nie wiem jak zaczźź to są historie takjie, ze nic. brodziłem z tatą w bajorze i tata powiedizel a, żed ryby atakuj ,ącz powieka. Paranoja

Nawet człowiek pod wpływem paranoi wchodzi w świat paranoi
ranoi
Siwat od paranoi
Swoaiatt Pd pataopidui
.slwiay pod [arfnoid
Świata pod mparanpi
Sddkmjsstwenjswialx

Dlskjzsjus
Sjdhskcfd
Lkdjcfjsjx,xc
Xdkfjdhgdmkewne
Edwmjfkfrhvoweh
'rg enowenvfn
Lfdglcd

D
Cd';d;dd;SD
Dd
D
Xd
SD
'pk s[.l c-p[,]],l

Świetnie!, czysta forma!, pismo automatyczne!, przez ciebie
człowieku przemawiają duchy!, ale nagle skręt na ślepy tor
i totalna flauta, muzo, obudź się, mówię, ale nawet nie drgnie,
ty kurwo, jesteś zwykłą szmatą, ale ja cię zmuszę do wyjścia
z nory, ZOBACZYSZ..

Bo talent da się spowodować chemicznie i szukam szkła jak nakręcony, wyjdziesz mi tu, mówię, jak na postronku, i nabijam szkło, ale nie ma czym, co było do nabicia, dawno zostało nabite, niemożliwe!, ciskam szufladami jak gwałtownik, zawsze tu coś było skitrane na czarną godzinę, skrytki świecą pustką, jedna za drugą, czy w tej norze nie ma jednej lufki do osmażenia?, w końcu jest, szkło wielokrotnie robione, ktoś nie raz wyciskał ostatnie soki, ale mimo to grzeję, aż żarzy się na czerwono, zagadała.., sączy się jakiś swąd, prawie sadza, gorzki dym, czysty smog, ale idzie, wchodzi, jak uderzenie obuchem, jestem już po drugiej stronie lustra i ta perspektywa lepsza, a nad białą szmatą pliku myśl genialna jak ptak, przecież ty człowieku jeszcze dzisiaj poczty nie sprawdzałeś!, tam człowieku może czekać grzechów odpuszczenie, info o grantach, stypach, wczasach, przecież kiedyś roiło się od tego gówna!

W skrzynce nowy spam, tak mnie wita nowy dzień, po prostu zero, choć jedna jebana propozycja!, może odśwież stronę, ale to nic nie daje, ciebie to człowieku już nie można nawet wyguglować, weź się spróbuj spozycjonować, mówię, albo nie, lepiej się nie pozycjonuj, bo prawda zawsze działa przytłaczająco, bo taka jest jej natura, bo to, że prawda wyzwala, to jest wymysł leniwych tybetańczyków, mówię i mimo wszystko pozycjonuję się, jakieś marne info dopiero na drugiej stronie, żal. kurwa.ru, teraz już wiesz, dlaczego ci żadnej nagrody nie dali.. Bo to są chuje, mówię, najgorszy syf, podła gadzina. We własnym sosie, mówię, rozdają karty!, alfons dwururka, baśka nadwabatska, padlinożercy, naziści, socjopaci, kulturkampf!

Tego unikam, mówię, i ty też się człowieku lepiej trzymaj od tego z daleka. Najważniejsze, mówię, że się obudziłeś cały i zdrowy.

Właśnie, ale z lustra spogląda stary zbok, przejarus jak nic wczorajszy, bania zwisa znad paska jak piłka, gdzie ty się zdążyłeś tak spaść?, mówię, a może jesteś w ciąży?, dziecko, nowa książka, łapię tłuszcz i ściskam, jakby miało się z tego coś wycisnąć, ale to tylko opona, dzieci to ty człowieku możesz tylko adoptować, bo nie jesteś w stanie napisać nawet dziennika, nie umiesz się otworzyć nawet przed sobą samym.

Nędza, człowieku, masz przed sobą dwa, góra trzy miechy i wielki come back na dno, pańszczyzna w hucie stali, nie, nie strasz mnie człowieku, coś się z tym zrobi, przecież nie pójdziesz do pracy, zastanów się, może jest jeszcze ktoś, kto był ci krewny sos?, nie niemożliwe, mówię, ale nie ma rzeczy niemożliwych człowieku, i rzeczywiście, przeglądam stertę rachunków, przecież ten teatr miał ci zapłacić!, robili tam coś twojego, jakieś teksty miksowane, dyrektorzyna zarzekał się, że flota przypłynie koronna, dobrze, teraz tylko znajdź telefon do szmaciarza, no i naturalnie numeru nie ma, to namierz go jakoś, znów będzie dzwonienia pół dnia, załatwiania po znajomych, i kto taki telefon może mieć..?, ale jest to gówno, ukryło się w kontaktach, dobra, zaraz się przekonamy, co z tym jest.., halo, mówię, dzień dobry, z tej strony ja, sławomir shuty, nie smutny, ale Z huty, a dziękuję, w hucie wszystko po staremu, dzwonię, bo właśnie w sprawie przelewu, jakiego przelewu?, proszę pana, przelewu za sztukę, braliście przecież teksty, co też pani mówi?, udostępniłem za darmo?, i to było tylko jedno zdanie?, ale umowy nie podpisywaliśmy?, świetnie, bo ja to wszystko przemyślałem i mam wrażenie, że państwo nadużyli mojego zaufania, zostałem ewidentnie wykorzystany i w świetle mam prawo do zadośćuczynienia, ile pan mówi?, pięćset?, chyba żarty, tak?, dwa tysiące albo przekazuję sprawę w ręce adwokata człowieku, mówię, a wtedy się okaże, na czym polega teoria względności.

Kutasy kradną, mówię, robią na boki, daj palec zrobią ci kaszankę z mózgu, nie będą się ociągać, ale zapłacić za mięso to już jest ciężka ręka do tego, ale sztuka naiwna się skończyła, naiwny byłeś do dziś człowieku, teraz jesteś kuty na cztery kopyta jak trzystu spartan i nie dasz se wajki rzeźbić, nie obcinaj się, weź pisz do ministra!, minister jest od pewnych rzeczy jak dupa, nie przymierzając od czego, musi pomóc, to są twoje pieniądze, za twoje podatki i dawno ci się to należało!, w końcu jesteś nadzieją na przerwanie tego błędnego koła, impasu, jaki panuje w tym kraju, a nawet za granicą, język zjada własny ogon, wizjonerzy potrzebni na gwałt!

Szanowny Panie Ministrze,
zgłaszam swoją kandydaturę do przyznania stypendium w nadchodzącym roku, który będzie pierwszym po zapowiadanej apokalipsie. Pomoc finansowa pozwoli mi pracować nad powieścią społeczno-obyczajową dotykającą wrażliwej tkanki palących problemów współczesności. Poza wartką warstwą fabularną istotą powieści będzie szereg spraw, jakim musi stawić czoła społeczeństwo, zaczynając od zaniku wartości, na upadku wszelkich norm

kończąc. Dotychczasowe publikacje oraz rozwijająca się droga kariery pokazują, że jestem przygotowany do podjęcia wspomnianego powyżej wyzwania i napisania przekonującej książki. Mam nadzieję, że stanie się ona pozycją, która wejdzie do kanonu literatury oraz lektur szkolnych i poszerzy obszar zainteresowań o nowe, dziwne aspekty. Pewnie niejednokrotnie natknął się Pan na krytykę mojej osoby. Zgadzam się z powszechnie panującą i krzywdzącą opinią, iż jestem wizjonerem-krótkowidzem, chcę podkreślić jednak, że mimo wszystko wizjonerem, a jako autor pierwszej książki pisanej od tyłu zasługuję na szacunek. Pozycja ta odbiła się echem w środowiskach naukowych na całym świecie. Świat literacki także był szczerze poruszony. Kultura niezależna ogłosiła książkę „wybrykiem roku". Chciałbym dodać, że czuję się wypalony i oszukany przez media i wielkie wydawnictwa. Nie stać mnie na podstawowe opłaty, a moje ciało cierpi na notoryczny brak elementarnych kalorii i choć przyjęło się uważać, że głodny artysta jest artystą prawdziwszym, to jest to źle postawiona teza, a nawet zabobon, bo pomimo tego, że połowa świata chodzi niedożywiona, to współczesna sztuka jest coraz bardziej nieprawdziwa. Zapewniam, że jako artysta stanowczo nie powinienem pozbawiać się pełnowartościowego posiłku. Proszę o pozytywne rozpatrzenie mojej prośby.

Z poważaniem

Sławomir Shuty

PS
Sztuka zawsze kojarzyła mi się z pięknem, dlatego moje serce jest przepełnione bólem, kiedy patrzę na niegodziwość panującą na tym polu ekspresji. Kilka szybkich karier w świecie artystycz-

nym wymaga, by przyjrzeć im się bliżej. Tak zwane błyskotliwe
debiuty, odkrycia roku i nowi mistrzowie słowa rodzą się na
imprezach suto zakrapianych alkoholem, na których gwałci się
małe dzieci, defloruje zwierzęta, zaś stypendia od narodu są
przeznaczane na narkotyki. Jeżeli chciałby Pan poznać szczegóły,
jestem gotów je niezwłocznie przedstawić, a nawet pozostawać
w stałej współpracy..

Z lufy gówno da się wycisnąć, miażdżę ją w moździerzu i ciągnę ściechę, uch!, aż krew wstępuje na policzki, istotnie z kichawy kapie, przez chwilę nie wiem, co się dzieje, w pliku list do ministra, wyślij to człowieku, walcz o prawo do życia, posuwaj sprawy jak dziwkę, otwieram skrzynkę, jest już nowy spam, wśród syfu jakiś list, może invitation na bankiecik, może coś, nie wiem, co to jest?,

Hej, przyp, że ostatecz termin fel dziś, czek do wiecz, pzdr L.,
co za L.?, za za fel?, i nagle, o kurwa!, felieton, czemu wcześniej nie przypomniał!, dość, że gnoje kiepsko płacą, to jeszcze traktują artystę jak psa!, ale ponoć przypominał, pisze od razu, że tydzień temu o tym wysłał, tydzień temu to ja co innego w głowie miałem!, co ja prowadzę kalendarzyk jak jakiś pedał?, co mam jeszcze robić, uprawiać jogę?, szlag was wszystkich trafi!

Ile jest, mówię, kurwisynów studencików bezrobotnych, którzy tylko czekają, żeby parę zyli skosić, weź człowieku dzwoń do jakiegoś frajerczyka, niech ci skrobnie ten fel za grillowaną kanapkę, ten frajer ci to napisze, albo ta jego dupa, będą mieli na jeden zestaw obiadowy, to jest tylko pięć tysięcy znaków do machnięcia, czyli nic!, i dzwonię, no odbierz, frajerze, mówię, odbierz, za co ci chcę zapłacić!, ale nie odbiera, dzwonię do skutku, wyciągnę frajera nawet spod ud tej jego pulchnej dziwki, no wreszcie!

No wreszcie, mówię, co ty człowieku robisz z tym telefonem, on, że na zajęciach, więc ja, że słuchaj, jest taka głupia sprawa, taka sytuacja performerska, wziąłbyś mi pomógł w jednej rzeczy, nie masz pewnie co robić, a tak to coś powąchasz sosiku, krótki, zwięzły tekścik, parę okrągłych zdanek, ja się pod tym potem podpiszę, co?, mówię, to są teraz normalne praktyki w wielkim świecie, tak się pracuje i albo się dostosowujesz, albo do widzenia, takich gnojków mogę mieć na pęczki. Wyrwałbyś z tego z dwie, trzy dyszki, walniesz to w godzinę, co to jest w końcu pięć tysięcy znaków, co?

Ale on kręci nosem, trzy dyszki to kompletnie nie, może za dwie stówy, tyle normalnie za coś takiego bierze, próbuję go podejść, ale nie schodzi niżej, stary, to się może przerodzić w stałą współpracę, mówię, potem przyjdą większe rzeczy, propozycje narodowych dramatów i powieści rzek, będziemy czesać gruby szmojt, dziesięć procent z zysków, nawet piętnaście, dobra, niech ci będzie, dwadzieścia, ale on chce trzydzieści, stawia mi się tu, się wam w tyłkach poprzewracało, mądrzejsze od telewizora, na czym to się nie zna, gdzie to nie było, kogo nie ruchało, ale nazwisko jest moje, tak?, kto ma tutaj członku markę wyrobioną, chcę powiedzieć, ale nie mówię, wyłączam to gówno, jakaś paranoja, wyciągnij rękę, przerobią cię na mielone.

Dobra, cóż to jest pięć tysięcy znaków!, można pierdnąć i to jest pięć tysięcy znaków!, przeklej, skopiuj, przerób, to jest w końcu postmodernizm i można wszystko, a nawet trzeba wszystko, byleby się kupy trzymało, a to jest jakiś pokręcony temat, dziwna zbitka słów, protest albo pewien jego aspekt, czy tyś człowieku kiedy dostał od nich normalny temat?, zjeby z warszawy, ostatni raz to dla was robię, piszę to i biorę tydzień depresji, śniadanioobiadokolacje bez wychodzenia z legowiska.

Pięć tysięcy znaków, dobra, mówię, kolejny pięciotysięcznik do zdobycia, stawiam temu czoła jak kukuczka, rzuć okiem w sieć człowieku, tam pewnie od groma tego jest, ale w sieci nic, zero tematów pokrewnych, ręce opadają, pięć tysięcy znaków, to jest prawdziwa opresja te pięć tysięcy znaków, praca pod dyktando, czyli cyniczna próba ograniczenia wolności, tańcz, jak ci termin zagra, próbuję coś ulepić, nawet się coś udaje, zalążek anegdoty, dowcip w tym jest, ale to jest raptem tysiąc znaków, jedna piąta zlecenia i skąd wziąć resztę?, to jest robota głupiego, dzwonię raz jeszcze, żeby mi dopisał choć z dwa tysiące, ale frajer wyłącza telefon, fiuty jedne młode!

Chcąc nie chcąc, wgryzam się w temat, im dalej wchodzę, tym bardziej istota tematu przede mną spieprza, tak jakby to była sytuacja złośliwie nakręcona, im niżej schodzę, tym głębiej się zapada, aż w końcu jestem w ciemności totalnej, nic nie widać, deprywacja prawie, i tu właśnie na tym końcu świata widzialnego przychodzi genialna myśl, pamiętasz tego kolesia, mówię, tego pacana, z którym kiedyś chodziłeś do budy? No i co z nim?, mówię.

Nic, ale pamiętasz, jak wam kazali napisać wypracowanie na pół strony?, frajer napisał

jedno

krótkie

zdanie

ale

za

to

du

ży

mi

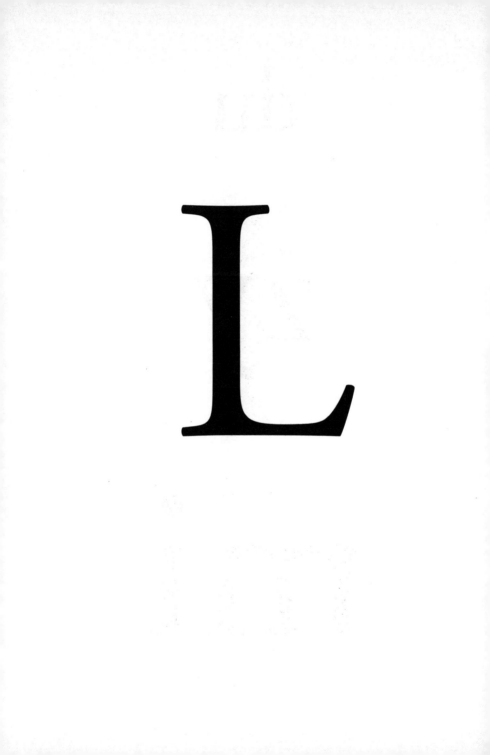

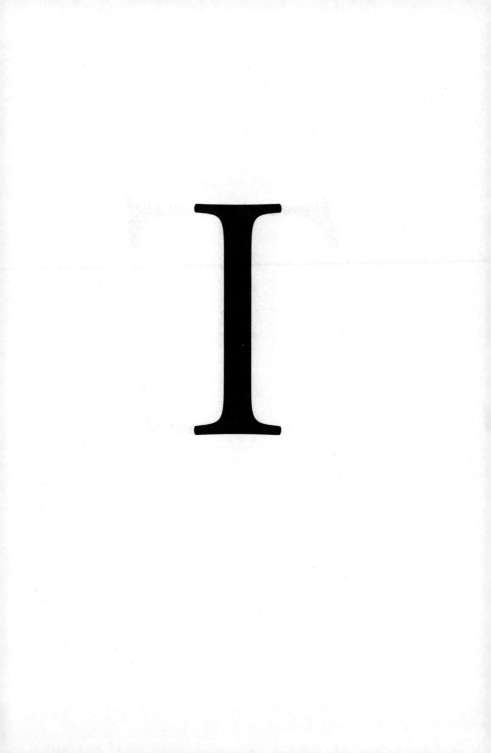

I

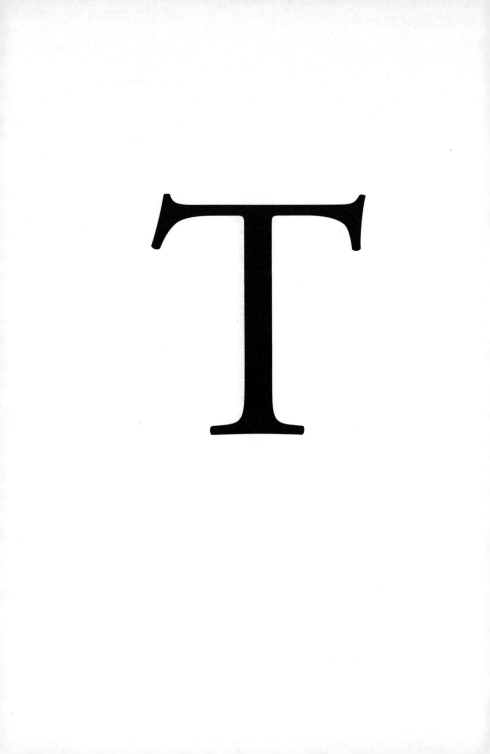

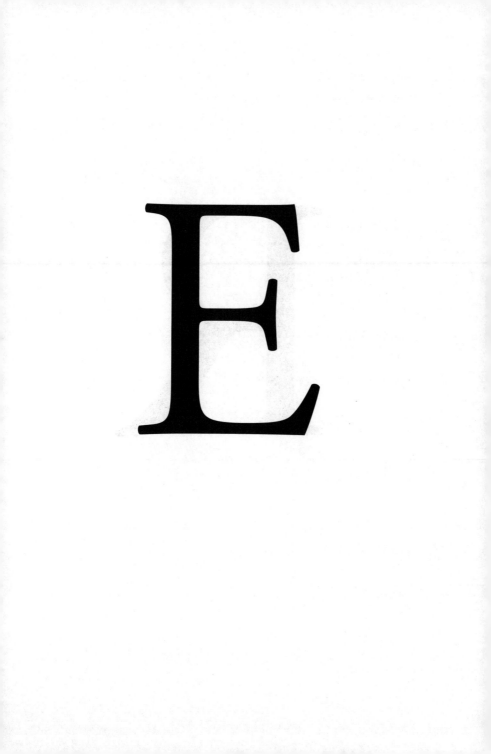

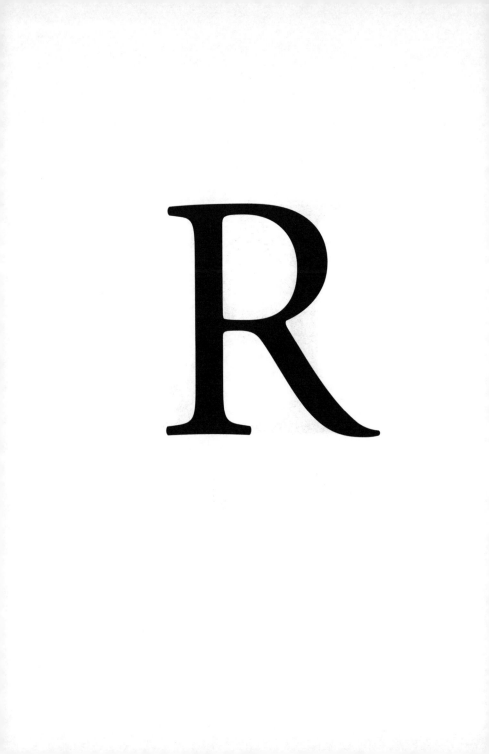

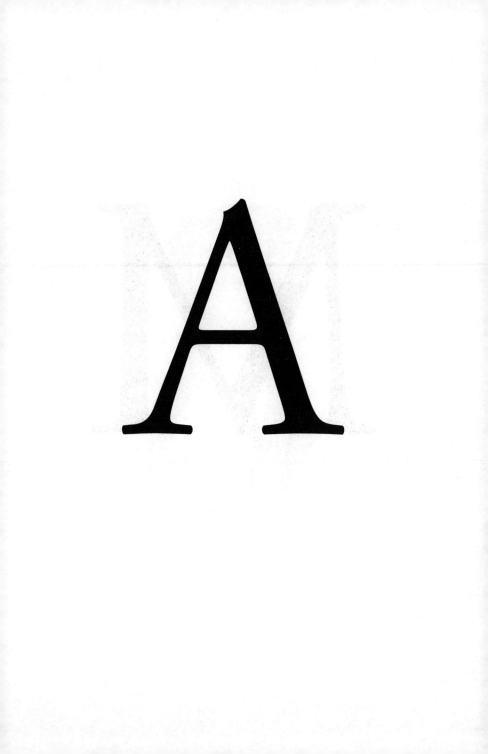

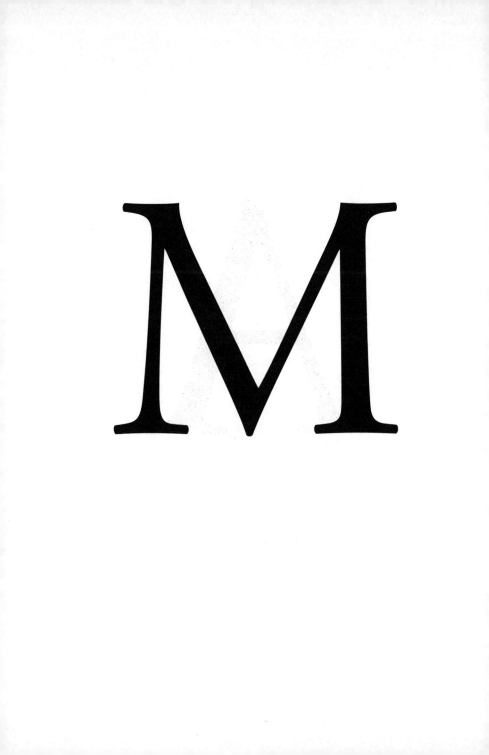

I

Dziewczyna

To było proste wypracowanie, napisać półstronicowe streszczenie, ale samica napisał tylko jedno zdanie, za to na pół strony człowieku.

Ta, mówię, samica to był przechujek, po prostu pato, teraz pewnie narko.

Po szkole idziemy na śmietnik za kompleksem spożywczo-usługowym, tam w nim jest apteka, Y biblioteka, magiel, w śmietniku prawdziwy kogel-mogel, kontener pełny dziadostwa. Jak tylko śmietnik wyrasta na horyzoncie, to samica aż podskakuje i rzuca się w długą.

Ej, mówię, mieliśmy tak razem wejść!, miało być sprawiedliwie, ale fiut nie słucha, tylko biegnie i biegnie.

Ty bucu, mówię i lecę za nim, wpada tam pierwszy i zaraz krzyczy, że znalazł jakieś klucze, pokaż, mówię, fajne te klucze, grzebiemy dalej, trafiam na puszkę po piwie, paczkę po jajkach, breloczek, samica wyciąga świeczkę w kształcie kuli. Pokaż, mówię, jaka świeca!, dam ci za nią puszkę.

Ale samica nie dopuszcza do wymiany, jest nawet obrażony, że zaproponowałem, bo właśnie pomyślał, że da te świeczke matce na urodziny, fakt, to byłby prezent dobry i dla mojej matki, myślę, i myślę też, że samica to straszny buc i kiedy ja będę coś miał, a on nie będzie miał, to mu nie dam.

Zapadamy się w kontenerze z syfem jak luke skywalker i wierny towarzysz czubaka, i to właśnie samica jest tą owłosioną małpą, na co samica się nie zgadza, ale wali mnie to, nie słucham protestów, odgarniam śmieci rękami jak łopatami, opakowania po lekach, fiolki, podpaski, jest coś!, podłużny kształt jak tuleja, sięgam, ale samica, nie wiedzieć jak, jest szybszy.
Moje!, krzyczę, to jest moje!, ale samica jest już na drugim końcu kontenera i merda do mnie ogonem, bo okazuje się, że to jest strzykawka.
Dawaj to, mówię, pierwszy to zobaczyłem.
Ehe, wcale że nie, bo ja, mówi, jaka to jest wstrętna gęba!
Wyglądasz jak rusek, samica, mówię, a strzykawka jest moja!
I rzucam się przez śmieci jak czarnecki przez morze, udaje się wyrwać, ale kontratak, odpycham, ciska we mnie fiolką, weź, gnoju, nie rzucaj, bucu!, mówię, kątem oka widzę ruch, to szczur, więc pcham samicę na szczura, zwierzę jest przestraszone, więc cap go w palucha, więc masz za swoje, samica, ty bucu.

Serio? Popchnąłeś go na szczura?
To niczego już nie pamiętasz człowieku? To były wtedy złote żniwa w tych śmieciach!
Pamiętam, pewnie, że to pamiętam, samica ma cyca, tak się to mówiło, bo to był otyły chłopiec, mówię.

167

A stary cię nawet za tą strzykawkę pochwalił, umyje się z krwi i to się przyda, użyje się do różnych rzeczy, powiedział. To się wszystko może potem przydać, kiedy nadejdą złe czasy i trzeba będzie zacisnąć pasa. Człowieku w domu, a raczej w mieszkaniu, bo to była wielka płyta, pełno było wszystkiego, takie wiano nuklearne, ręczniki, obrusy, miski, sztućce, opony, klasery, konserwy, przetwory, potwornie dużo zapasu, na wszelki wypadek.

Człowieku to były czasy!, a teraz musisz sam na wygnaniu w tej norze, i jeszcze za to płacisz, gdzie są twoje rzeczy człowieku, twoje pamiątki, gdzie jest twój cały świat?, bez tożsamości jak żyd wieczny tułacz, nie musisz mi tego tłumaczyć człowieku, bo powinieneś dostać status pokrzywdzonego, i również sprawiedliwego wśród niesprawiedliwych, bo to, co się odbywa za oknami, to jest po prostu rzeź zdrowego rozsądku.

I właśnie to jest ważna rzecz, mówię, w ręku ta właśnie strzykawka, którą zabrałem samicy, dlatego kiedy zapytasz, co wziąłbym ze sobą na bezludną wyspę, to powiem, że wszystko to, co mnie zbudowało, a jest tego trochę, choć i tak przydałoby się na wyspę zabrać nieco więcej stafu, bo wiele rzeczy się przydaje potem, to już wiemy z robinsona, mówię.

Gdybyś człowieku miał sosu jak lodu, to zgromadziłbyś wszystkie rzeczy, na które w życiu choć raz spojrzałeś, bo przedmioty nagrywają emocje, tak że jak nawet teraz mało pamiętasz, bo jesteś zmęczony, to możesz sobie to odsłuchać z przedmiotu, na który spojrzałeś człowieku, wiesz do czego zmierzam?

Chyba nie chcesz powiedzieć, że mam zryty beret, mówię, ta rozmowa zmierza donikąd, a ja miałem coś zrobić.

Co ty miałeś zrobić?, tego właśnie nie pamiętam, ale w łapę wpada wizytówka tej dupy, na kartoniku tylko adres netowy, bez telefonu, to są, mówię, takie wygłupy takich dup, młode to i samo nie wie, jak się wylansować, dać wizytówkę bez telefonu, przecież to jest człowieku jakiś żart, mówię, ale trudno, świat się pieprzy na potęgę i temu człowieku nie zaradzisz..

Spotkamy się?, piszę, bo mam wielką ochotę coś pchnąć, ale od razu nadzieja, że nie odpowie, bo potem kłopot, wejdzie z butami, zacznie się mościć, spowiadać ze związków i sytuacji, proza tanich wzlotów i słabych upadków, więc ledwo wysyłam, już żałuję i zaczynam się modlić o błąd na łączach, ale odpowiedź przychodzi szybko, szybciej może niż myśl,
chętnie..

Więc brnę, to będą na 100%, szybkie pompki człowieku i tyle, zobaczysz, żadnych przeprowadzek, wspólnych obiadów, psów,
dziś?,
piszę, na co ona od kopa, że
dobra,
ja,
gdzie?,
ona,
gdziekolwiek,

i drepta to powoli w tym kierunku, nagle ona dołącza link do..

Hej, poleć ze mną na planetę Pluton!, z albumu Back Side of the Spoon,

znam to, więc i odbijam linkiem..

Mówię ci, jak to jest, że życie tak dziwne jest,
Na co ona wyjeżdża z jakąś balladą o sadzeniu drzew, więc ja coś o budowaniu komina, a wszystko ciężarne podtekstami, przebijamy się, licytujemy, rzucamy asy na stół.

Wynik tego tenisa jest po mojej stronie i dziwne nie jest, w końcu coś się w życiu widziało, gdzieś się było, i załączam po kilka załączników ekstra, ona się brechta w tych mailach jak stara,

hahaha ☺☺☺,
pojawia się porozumienie ponad podziałami, może nawet chemia,

zeskajpujmy się?,
piszę,

czemu nie,
ona, no to pyk, wchodzimy na antenę, napięcie jak przed wielkim losowaniem, po prostu randka w ciemno – strzał w dziesiątkę czy kolejna paść?, nadzieja odpływa jak krew z blednącej twarzy, coś brzęczy, czarny prostokąt rozszerza się niczym świat po wielkim wybuchu, i oto ona w pełnej krasie, z mojej strony leci uśmiech i machnięcie ręką, ona jak w zwierciadle, to samo, uśmiech i machnięcie, na pierwszy rzut oka nawet niegłupia, trochę okrągła, ale siądzie, na raz, w porywach do trzech, ale nad tym się będziemy potem zastanawiać, szczęść boże, bo mogło być gorzej.

Znamy się?, mówię.

Byłam u ciebie, mówi.

Kiedy?

Rano, mówi, aa.., to ona była?, myślę, czyli włożyła już maskę tapety, kłopot w tym, że one się robią, a ty człowieku nigdy nie wiesz, czy to prawda, czy fałsz, zwłaszcza że wszystko w pikselach, ale przypominam sobie: w pewnych fragmentach apetyczna, w pewnych apatyczna, trudno doprecyzować gdzie i czego więcej, generalnie brakuje kropki nad i.

Co u ciebie?, wszystko dobrze.., konsternacja na starcie, nadrabiam miną, ciągnę wątek, bo u mnie dużo różnych rzeczy, jestem mocno w plecy i za chwilę landlord wypieprzy mnie z nory, a co poza tym?, nic, ostatnia jesień w psychiatryku, wcześniej bank, wojsko, sekta, długi marsz przez instytucje, próby znalezienia w życiu nonsensu i parę innych drobiazgów.

Twoje życie to materiał na wieloodcinkowy film, mówi i wcale nie mówi tego nie na poważnie.

No pewnie, że tak, mówię, bo tak jest, gdybyś tylko człowieku miał pamięć do tych wszystkich rzeczy!

Jesteś moim ulubionym pisarzem, mówi, ale to już wiem, bo wpadłem jej w oko jak skra lodu, nie dziwię się człowieku, bo postać otoczona kultem prawie maryjnym, nie do końca zaczesany, łachy jak świni z gardła wyciągnięte, abnegat-elegant, sexy bylejakość, a nawet się specjalnie nie przebierałem do tego skype'a, żadnych ekscesów, pieczarek w butonierce,

pieczątek z kartofla, po prostu, zwyczajnie jak normal every-
man, łach, ale szczerowina, cierpi za miliony, ale nie ma czasu
posprzątać na bazie.

Tak, mówię, ale miłość przezwycięży każdą przeszkodę, choć
zdarza się, że żar uczuć pożera sam siebie, tak że to jest nie-
bezpieczna gra, śliski grunt, mówię i ona się śmieje, co oznacza, że jest dobrze, stajemy się bliscy coraz bliżej, feedback
pomiędzy prawie podręcznikowy, żeby się człowieku z tego
serial nie zrobił.

Nigdy nie zapomnę wtedy, mówi, tamto spotkanie, Dni Ka-
szanki w Gackach, dziatwa w strojach regionalnych i chór
starych wariatek, wszystkie jak jedna drą kopary – obrazo-
burca!, oszust!, fałszywy ksiądz!, jaja spływają ci po twarzy, na
szczęście są eko, a ty jesteś oblepiony jak glut i taki bezbronny,
tak uroczy, i jaki wspaniały finał całej akcji, mówi, miejscowe
chłopy wywożą cię na taczkach i wrzucają do gnoju, w życiu
nie widziałam lepszego sytuacjonizmu.

Ha, mówię, takie akcje czynią z człowieka performera, a teraz
chcą mnie pozbawić głosu, wykastrować, kupujesz, że chamstwo przestało mnie wydawać?, *jego nie warto wydawać, przecież to zwykły cham*, a pamiętasz, mówię, bucu jeden z drugim, jak żeśmy jaja z gniazd razem kradli?, dlatego, widzisz,
czasem muszę się uspokoić, a nic tak dobrze nie uspokaja jak
kieliszek czegoś mocniejszego, mówię dla usprawiedliwienia,
bo w tle po mojej stronie, dopiero teraz konotuję, podłoga
usiana butelkami.

Musisz o tym opowiedzieć, na miłość boską!, świat łaknie prawdy!, jeżeli nawet byłeś wtedy lekko pijany, jakie to ma znaczenia wobec spuścizny, którą po sobie pozostawisz?, mówi, czas zweryfikuje, ludzie odkurzą, prawda wypłynie i będziemy mogli ją zobaczyć, jak wielki piktogram na pokrytym chmurami niebie.

Spisek!, układ scalony!, tak zwana polish cultura!, polisz se jaja!, prawdziwa szopka ta sztuka!, krzyczę, że masoneria, żydzi, kibole, katole, pisiory, peory, media i bezhołowie, ten kraj to padlina, z wierzchu skóra prawie jak nowa, wewnątrz mrowie białego robactwa, każdy chce się nażreć do syta, słyszysz ten szelest?, mówię i robię jej ten ruch, że sos, że to wszystko idzie o sos.

To takie fascynujące!, niesamowite!, mówi, opowiedz o tym ze szczerością, na jaką cię stać!

Mogę na ten temat wiele powiedzieć, wiem, kto komu ciągnie lachę w tym chlewie, mam dowody, że druty są ciągnięte, aż majty zasysa, dlatego wszyscy mają dupościsk, ale czy o'takepolskie walczyliśmy, a ja już się noszę do napisania o tym wszystkim całej prawdy, mówię, na własnym przykładzie pokazać jak trudno być prorokiem pod własnym oknem, dlatego trzeba stąd wyjechać, zostawić to bagienko, bo tu już nikt nie rozumie prawdziwego talentu!

Nie możesz tego zrobić! Ludzie chcą poznać prawdę!

Mógłbym opowiedzieć o różnych rzeczach, mówię, przecież w różnych akcjach bywałem, różne sytuacje, wojsko, sekta, ekofarma, i lekko to jej wszystko koloryzuję, stare zniszczone zdjęcia dostają rumieńców, zapomniane sukcesy, stypendia, staże, gaże, filmy, dramaty, obyczajówka, sezon na dołku, jesteśmy prawie w sobie zakochani, chcę w nią wejść, ale ona pyta, co to jest tam na ścianie?

Tam jest paw, ale mówię, że to grzyb, teraz w ciemnościach wypisz, wymaluj – grzybnia, czuły dotyk matki ziemi. Mam wrażenie, mówię, że wypluwa z siebie setki zarodników, które wdzierają się do mózgu i zmieniają go w czystą papkę, pewne zmiany są nieodwracalne! Tak, grzyby są szczególnie niebezpieczne, mówi, pojętna jest ta malusia! Zróbmy coś razem, chcę powiedzieć, ale ona odsuwa się od kamery, widać wnętrze, które nie ma końca, to jakaś hala.

Podoba ci się?, mówi.
Ho, ho, mówię, ile to ma metrów, pewnie w cholerę..
Masz ochotę?, mówi, zapraszam, i możesz się zalogować na drugim końcu, wcale nie musimy się spotykać.
Co to jest, mówię, pole golfowe?
Poczekaj, mówi, zapalają się światła, to strych, ale wielki jak hala widowiskowa, jasne, wysoko sklepione wnętrze, drewniane belki, gustownie, ale bez góralszczyzny, drugiego końca prawie nie widać.

Tysiąc metrów z haczykiem, mówi, spacer z jednego końca do drugiego trwa prawie dziesięć minut.
No i co?, mówię, bo nie wiem, do czego zmierza, sex czy spacer.
Możesz zacząć od jutra, mówi, przestrzeń do życia z dostępem do sieci, wyżywienie, a nawet używki biorę na siebie.

Wiesz, mówię, muszę oddać zaliczkę, którą już dawno na stare długi, na różne rzeczy..

Forsą się wcale nie przejmuj!, trzeba pomagać artystom w trudnych chwilach, potraktuj to jako zaliczkę na powieść, a potem, kiedy skończysz, zrobimy tak, żeby było dobrze, są różne drogi, żeby to popchnąć we właściwym kierunku, ciągle jesteś rozpoznawalny!, sam w sobie marką, trochę się podrasuje cyfrową legendę i to się może sprzedać.., mówi, jej matka siedzi w branży, zna wszystkich i jest przez wszystkich znana, właśnie wróciła z wakacji, i może różne recenzje, koneksje w pewien sposób ukierunkować.

Trzeba wiedzieć, w jakie drzwi zapukać, co?, mówię, niektóre otwiera się tradycyjnie, niektóre za pomocą kodu, czasem musisz się podłożyć i dać pogłaskać, innym razem krzyknąć, po prostu życie, a ja, wiesz, nie mam dwudziestu lat, żeby eksperymentować, chciałbym uczciwie, przynajmniej raz w roku plaża w egipcie, skromna emeryturka, ubezpieczonko, mówię i patrzę na tę wielką przestrzeń, ten strych jak świat do zasiedlenia, świątynię, do której będzie wpadać muza i będziemy tańczyć, walczyć, gzić się, a po nocach piękniejszych niż dni będzie mi dyktować arcydzieło.

Powiększyłeś sobie usta, mówi, odruchowo dotykam warg, czyżby tak widoczne?, najwyraźniej.
Musiałem, z takich ust jestem lepiej słyszalny, a jako artysta wielomedialny muszę być słyszalny na dużą odległość, mówię, moje słowa odbijają się echem w nieskończonej przestrzeni strychu, bijąca stamtąd bryza daje się niemal wyczuwać, wiatr

odnowy, klima, madryt życia, pachnidła na skroniach, wyżerka w hotelach, zamorskie wojaże, miejscowe specyfiki, salony i ciepłe przyjęcie, być może nawet hostessy top i down less podlewają wszystko szampanem, jesteś twarzą marki, ambasadorem NOWEGO, z boku promocja jakiegoś zapachu, celebryci nie mogą opuścić takiego bankietowiska, to po prostu zwiastun ODNOWY.

Kochanie, mówię, bo jesteśmy sobą zachłyśnięci, ledwie oddychamy, iskra i startuje to jak love story, mówię jej nawet, że wszystko się ułoży, uciekniemy w góry, urodzi mi ładne dzieci, ale najpierw musimy popracować nad tym tematem, puszczam jej oko, na chybił trafił, podchwytuje, jest kumata, pocałuj mnie, mówi, przepraszam i chowam się poza granice widzialności, tu miałem gdzieś popersa skitranego, jest, wciągam i dopiero robi się z tego prawdziwa chemia, walę konia jak aktor porno, ona się dotyka jak wyposzczona zakonnica, po prostu cyber-sex, człowieku, jaka akcja!

Opadamy bez tchu, każdy we własny barłóg, jesteś wspaniała, mówię, wciąż zanurzony wewnątrz siebie, kontemplacja orgazmu, świat wokół zaczyna się sklejać, rekonstruować, nora, na ścianach bohomazy, w szafkach powidła, mazidła, przetwory, sterty zawilgłych książek, zaśniedziałe szmaty, przyducha, ciasnota zaciska się wokół jak boa, to jej tysiąc metrów brzmi smakowicie, czyste, ładnie podane, ciekawe jak z wyżywieniem?, słuchaj.., mówię.

Tak, możesz to zrobić nawet teraz, mówi, a zresztą tak czy owak wpadnij, zarzucimy jakiś diner, palniemy winko, rozglądniesz się na miejscu i zobaczysz, a może wpadnie ci jakiś nowy pomysł.

Może.., mówię i piętnaście minut później jestem u niej, bo to bliżej niż myślałem.

Jest dużo czułości na wstępie, ona mamrocze na powitanie i nastawia się do gry, na żywo wszystko wygląda zgoła inaczej, próbujemy wziąć się na deskach, ale nie wychodzi, siadam na niej na różne sposoby, wyobrażam sobie, że jest wziętą modelką i wabi mnie jak hydraulika, ale nie działa, więc wizualizuję znaną aktorkę, w końcu myślę, że to zwykła dziwka, która zdziera ze mnie skórę za frajer, coś jakby drga, ale to falstart, możesz się naprężać człowieku, ale to nie ma sensu, nie stanie ci niestety.

Wiesz, mówię, ja się mogę bez tego obejść, orgazm to jest zabawka dla młodzieży, jestem już ponad tę huśtawkę, bo to są kiczowate emocje, teraz chcę się ofiarować na ołtarzu sztuki, co oczywiście nie oznacza, że nie będziemy się kochać, owszem, i nawet często, ale nie teraz, być może nie jestem jeszcze gotowy, mówię.

Ile masz lat?, pytam, kobiety nie pyta się o wiek, mówi, a mężczyzny o obwód w pasie, odpowiadam i wciągam brzuszysko, przyklejam do kręgosłupa, wydaje się nie zauważać zabiegu i tym mnie kupuje, totalną akceptacją, tak że chcę z nią być; chcę być z nią, bo to kobieta niezależna, a niezależne są najlepsze, bo zależnym zależy tylko na nowych szmatach, kieckach, weź taką pod skrzydła, a jak poczuje, że ci nogi miękną, zaraz zdrenuje konto do cna, zostawi gołego samopas i puści się z najlepszymi kumplami, skąd my to znamy?, człowiek już za długo na tym świecie żyje, żeby takich rzeczy nie wiedział, acha!

Podnoszę się z desek, kilka kroków w głąb, przestrzeń jest wielka jak arka, możesz tu człowieku zaprosić wszystkie najbardziej skryte wspomnienia, wreszcie się spełnić, bo ten temat chodzi za tobą od dawna, a że wiadomo, że pod latarnią najciemniej, dlatego go nie widzisz, nie widzisz siebie człowieku, przecież gdybyś o sobie człowieku, to byłby z tego bez dwóch zdań wieloodcinkowy serial przygodowy, to by się mogło nazywać *Wszystkie wspomnienia Boga, czyli autobiografia totalna*, zapinam spodnie, chowam zwiotczałego fiuta, nieładnieś się zachował, mówię do członka, mam nadzieję, że się poprawisz. Uśmiecha się, nawet się śmieje, lubi takie poczucie humoru, to dobry omen.

Podoba ci się tu?

Człowiek potrzebuje do życia przestrzeni, mówię, dopiero w odpowiednich warunkach jego duch może wzlecieć ku niebu i napluć bogu w twarz..

Wyprowadzam się tej samej nocy, stary młodej jest właścicielem firmy transportowej, wszystko zostaje w rodzinie, tylko mówię, niech uważają na parterze, bo tam mieszka landlord, fagas chce wyłudzić pieniądze za wynajem, za ten gnój, grzyba na ścianach!, za mieszkanie w tym gównie powinni mi jeszcze dopłacić, ale jak będą chcieli zawiesić tablicę *W tym*

domu mieszkał wielki człowiek i obywatel Nowej Huty, to im
powiem, że trzeba zabulić, ale z procentem, tak że to będzie
okrągła sumka, może emeryturka, ale na razie niech panowie
to biorą pod osłoną nocy, ściany mają uszy, wzgórza mają
oczy, a po co ma ktoś widzieć, wiedzieć, rozpowiadać potem
kłamliwe chamstewka.

W środku

Staram się żyć w zgodzie ze swoimi przekonaniami, jest to dość skomplikowany kodeks, pełny odniesień, nieczytelnych dopisków, znaków zapytania i skreśleń, dlatego przed podjęciem każdej decyzji zachodzi we mnie skomplikowana rozprawa, sojusznicy spierają się z adwersarzami, niezawiśli sędziowie odwołują się do trybunałów, te zadają pytania lobbystom, impuls nerwowy ma długą drogę do przebycia i właśnie dlatego zajmuję się tym, czym się zajmuję, a jeżeli kogoś naprawdę interesują szczegóły, to wyczerpujących odpowiedzi należy szukać w moich książkach, można je nabyć w prawie każdej księgarni, a na pewno w internecie, państwo znacie?, mówię, ale oni nie czytali, nie znają, studenciaki, tyle wiesz, co zjesz, frajerze, gównażeria i farciarze, bogaci starzy, marzą o wczasach nad morzem martwym..

Jak to?, mówię, nie znają państwo arcydzieł początku dwudziestego pierwszego wieku?, które stawia się na półce z pozycjami typu ulisses, proust i pan tadeusz?, ależ proszę państwa, to są rzeczy ponadczasowe!, słowo podyktowane przez ducha świętego!, lub istoty o wyższej inteligencji..!, z tyłu ławek głosy, stłumiony śmiech, gówno, gówno, gówno, to jest to, co o was myślę, wy jeszcze żyjecie w głębokiej komunie, lata siedemdziesiąte, dawno przed murzynami.

Tak?, mówię, no to na następne zajęcia proszę przynieść podręczniki; cukier, batony i bełkot, a także pozostałe, no, jeżeli państwo nie mają, to trzeba będzie kupić, i od dziś będzie to podstawowy odnośnik do wiedzy o świecie, informacje niezbędne do pracy oraz punkt wyjścia do egzaminów, mówię, na twarzach banał.

Moje książki czyta nawet pani danuta wałęsowa, która wypożycza z nich język do opisu rzeczywistości polski walczącej, lech wałęsa jest ikoną solidarności!, mówię, obcieram wargi końcówką kciuka i palca serdecznego, w kącikach ust ślina, żółte skrzepy, widzą to?, czy nie?, ale na wszelki wypadek zatrzymuję się w pół gestu, odwracam do tablicy, zajęcia się skończyły!, wścibstwo wreszcie wstaje, wychodzi, materiały edukacyjne leżą na stole, dwa kroki dalej jakaś laleczka.

Słucham panią?, mówię i ona zaczyna coś mówić, zauważam niezłe body i że wyszczekana, żywe srebro, może pojedziemy porozmawiać do mnie?, mówię i ona jest zachwycona, cudowny pomysł, od dawna chciała poznać moją norę, w środku prezentacja kolekcji książek i dokumentacji z projektów, video z różnych akcji, foty z aktorami.., znam ich, mówię, byliśmy razem w różnych sytuacjach, i zaczynamy dotykać się jak prawdziwi przyjaciele, wzwód jak cha, żeby się z tego żylaki nie zrobiły, koniecznie trzeba rozładować, prawie walę konia w spodniach i ona to chyba widzi, bo zaraz wyciąga jakieś piguły, co to jest?, mówię, ale już podaje na języku, język przy języku, ząb zgrzyta o ząb, transfuzja ślinotoku, piguły wchodzą jak żyletka w żyłę i wszczyna się fasska, odlepiam się jak mucha z taśmy pokrytej lepiącą mazią.

Wyższość brania udziału w wernisażu wiedeńskich akcjonistów nad uczestnictwem w spektaklach tak zwanej teatralnej kontrkultury polega na tym, że na wiedeńskich akcjonistach spotkasz z pewnością ludzi z dobrym towarem, mówię, a ona klęka i bierze mi go do ust, o tak, dokładnie, bądź dobra dla wujka, który potrzebuje relaksu, i ona zaczyna powoli, to jest zbyt powoli, tak jakby niemrawo, więc rzucam, zrób to tak, żeby wujkowi puściły zwieracze i dociskam czaszkę do krocza.

I nagle zimny prysznic, dwieście dwajścia volt przez rdzeń, co się dzieje?, wypływam na powierzchnię zdarzeń, co..?, rzut oka na krocze, ale to jest wielka czerwona plama, krwawy ochłap, strzępy żył, ścięgien, mięśni, cieknie z tego, a z jej ust mój penis jak rurka do drinka i dopiero teraz zaczynam krzyczeć.

Siup!, szok wypluwa mnie na brzeg jawy, sen jak horror!, tak to jest, kiedy się człowiek nażre wieczorem za dużo, mówię, ale poziom chemii w bani wskazuje, że było coś więcej niż tylko tłusta wyżera, marker bólu przekroczył wartości krytyczne, kac jak buc, skąd?, wstaję, idę do kuchni, tutaj panienka z wykładu parzy kawę zbożową i choć nie lubię zbożowej, to chcę to jakoś fajnie zacząć, ten poranek, kochanie, mówię, miałem straszny sen, jestem zmięty jak szmata.

Wiem, mówi, rzucałeś się jak egzorcyzmowany, ale zrobiłam ci śniadanie, zjedz, od razu poczujesz się lepiej, jest kochana i młoda, a tym samym zdrowa, uśmiechnięta, to się chwali, będziesz miała dobre oceny na świadectwie, obiecuję ci to, mówię i siadam za stołem, świeży sok z pomarańczy, jajka po wiedeńsku, rzodkiewki, szczypiorek, odrobina serka białego ze śmietanką, kilka plasterków żółtego, krojony pomidor, grzanki, ładnie mi to pachnie.

Byłaś w sklepie?, mówię, uśmiecha się i podaje frykasy na ciepło, parówkowa, apetyt dopisuje, rzodkiewka zgrzyta w zębach i przyjemnie łaskocze podniebienie, pogryzam nowalijki, kroję kiełbaskę, ale to jest twarde jak gęsia szyja, słodkie, żylaste mięso, przełykam i dociera do mnie ogrom tej zbrodni, odsuwam stół jak pijany żołnierz, ściągam spodnie, ale nic tam nie ma, między nogami, krwawa, owinięta brudnymi bandażami rana, mój fiut staje mi w gardle!

Siup!, składa mnie jak scyzoryk, w ustach wrzask, wreszcie szok zwalnia, po raz kolejny na powierzchni, kilka ciężkich oddechów, night of the living sex, podnoszę kołdrę, żadnych powodów do zmartwień, kolejny dzień, zwykłe sprawy, spam od buca.

Aaa.., uuurwaaaaa, jaki koszmar! ziewam, nagle kopnięcie w drzwi, co to się tam?
Człapię, strych jest wielki jak pustynia, na drugim końcu drzwi, ktoś właśnie w nie napieprza, pali się czy co?, chwila, idę!, mówię, ale nie słyszą, bo dalej łomotanina, więc truchtam,

na zewnątrz jakiś gar, ale prawdziwe monstrum, rozrośnięty jak steryd, w pełnej gotowości do najebki, na ciele tatuaże, krzyże, serca, wilki, pająki, wild nature, jp, tym bardziej, że łapy jak bochny zwinięte w piąchy, na szyi złota obroża.

Nie słychać, co bulgocze, gdzieś pomiędzy wierszami, coś o czymś, że spać nie może, impresski, kurwa, sse tu urządzasz, kutassie..

Ja?, daj pan spokój, mówię i zamykam drzwi, ale blokuje nogą.

Co y u urwa robisz?, im y esteś, i zaczyna litanię, że zajebie, wpadną tu urwa koledzy, koledzy kolegów, a nawet władcy much i będzie z tego gruba chryja, nie wyplączesz się z ego do ońca ycia uju!

Nawet nie zauważam, kiedy piżama w okolicach krocza robi się mokra, tymczasem w drzwiach wyrasta jak duch jakaś laska, blada, pociągła twarz, nos mięsisty nad ustami, czarne kłaczki nad górną wargą, pod oczami wory, włos spięty w kok, z koka strączki, może dredy, na boga, co za fleja?

Panie Marianie!, napije się pan czegoś?, mówi, a gar jak stał napięty, tak teraz w owczej skórze, gęba szczerzy się garniturem złotych zębów, odstawia taniec z gwiazdami.

Rączki całuję szanownej pani, mówi i zawija do wyjścia.

Może herbatki?, ona nalega, a on, że nie, nie, że przeprasza, ale nie widział, że to Pani tu teraz mieszka i myślał, że dzicy lokatorzy, a co u pani słychać?, a co u taty?, Firma w dobrej formie?

A to musi się pan taty pytać o to, mówi, a gar się kłania i znika.

Cześć kochanie, mówi i choć nie wiem, kim jest, to jest mi to
na rękę, nightmare od samego rana, wzdycham, co to za typ?
Były bokser, pracował dawniej dla papy, teraz zasłużona emery-
tura, zarządza kamienicą, czasem się zapomina, wiesz, rozcze-
piły mu się płaty czołowe, mówi, od tych uderzeń w twarz, ale
niczym się nie przejmuj, nas nie ruszy, to prawie jak familia..
Acha, mówię i rozglądam się wokół, przed drzwiami spora
sterta, wszystkie moje bety już tu są, znaczy się firma PRZE-
PROWADZKI działa, chłopaki spisały się na medal, nawet przetwory i weki, które zaleciłem przezornie zabrać, bo nigdy nie
wiadomo, co się może człowiekowi w jakiej sytuacji przydać.

Po co ci to wszystko?, mówi,
Kiedy byłem mały, tata wysłał mnie do piwnicy po kompot,
nagle zgasło światło, do włącznika na końcu korytarza był
kawał drogi, bałem się iść, zapaliłem świeczkę, z ciemności
spoglądały na mnie oczy bestii, zacząłem przeraźliwie krzyczeć,
a kiedy światło zapaliło się ponownie, odkryłem, że to zawiesina, w której unoszą się śliwy, nadwyrężone czasem owoce
utworzyły w słoju kształt podobny do twarzy, i to było moje
pierwsze doświadczenie mistyczne, potem jeszcze kilka razy
widziałem twarze różnych świętych na różnych przedmiotach,
a poza tym zobacz, te rzeczy rzeczywiście wyglądają jak jądra
demona, mówię i potrząsam słoikiem przed jej oczyma, nie bój
się, mówię, bo odsuwa głowę, to klucze do podświadomości,
otwierają mnie jak puszkę sardyn, ale będę tego potrzebował
więcej, mówię, bo próbuję zaznaczyć, że zaistniała pewna ko-
nieczność, że będę potrzebował różnych rzeczy, ale na razie
na tym staje, bo nie chcę nadużywać zaufania.

Przygotuję śniadanko, zjemy razem.., na co masz ochotę?, mówi i pokazuje pełne siaty, serki, jogurciki, rzodkieweczki, jajeczka od baby, coś może bym wrzucił, tylko że za chwilkę, na tę chwilę napiłbym się herbatki, albo parę buteleczek miejscowego browaru, mówię pół żartem, ale trochę serio i wcale jej to nie dziwi, uśmiecha się, bo zna się na żartach.

Słuchaj.., mówię, wezmę szybką kąpiel i jestem gotów do amciania.

Daj mi piętnaście minut, mówi i zaczyna kroić cebulkę, wbijam do łazienki, dobrze tu jest, ładnie wszystko zrobione, cycuś glancuś, wanna na mosiężnych nogach, betonowe fragmenty, pomiędzy tym prawdziwa rzeka, nad wystrojem musieli pracować magicy, mówię wannie, żeby przygotowała ciepłej wody, a ona reaguje na polecenia jak pies, dozowniki soli morskiej odmierzają dobrą dawkę, wszyscy tu już wiedzą, co lubię, kreuje się miła atmosfera, towar mam schowany w brudach, nikt tu nie zagląda, ona też nie jest przesadnie pedantyczna, lekki fleizm panuje na strychu, po podłodze poniewierają się wczorajsze ciuchy, nawet się z tego rodzi pewien formalizm, artchaos, HD zamęt, lufa to wzmaga, łazienka zaczyna żyć, z kibla wydobywa się głębokie westchnienie jak z gardła gada, dobre jest to zioło, skąd je mam, nie wiem, ale to pewne rezerwy, które uwolniła przeprowadzka, kilka czarnogodzinnych gietów wypadło ze szczelin, jak dobrze czasem być chomikiem!

Szybko osiągam prędkości rzędu kilku machów, czas traci na znaczeniu, a szczeliny między kaflami broczą czarną mazią, cudem udaje mi się uciec, prosto w ciepły ręcznik, twarz w lustrze, ale to jest zaparowane, ścieram wierzchem dłoni, bo zapominam, że wystarczy mu powiedzieć i mówię, za chwilę pojawia się obraz, rejestruję suchy fakt, starzejący się nastolatek, bęben jak widoczna ciąża, na oko siódmy miesiąc, lustro ponownie pokrywa się parą, po raz drugi nie proszę o wizję, w lodówce półka pełna zimnych piw, kilka leżaków, produkty dolnej i górnej fermentacji, nawet portery, otwieram coś lekkiego, niezłe.

Musisz mi kupić jeszcze kilka butelek na popołudnie, mówię, potem na pewno będzie mi się chciało pić, dzień chyba ciepły, mówię, spoglądając w wielkie połacie okien, niebo przejrzyste, gdzieniegdzie oświetlona ostrym słońcem chmura, tu w środku na szczęście klima.

Jest upalnie, mówi.

Kochanie.., mówię i biorę kilka głębokich łyków, uch.., jak ja dawno nie waliłem rano browarów, człowiek potrafi zrezygnować z każdej przyjemności, ale to jest to katolickie wychowanie, uniwersytet katowicko-lubelski, ciężar nieuświadomionego grzechu i to się kończy tak, że człowieku zapominasz o przyjemności, ale życie to nie horror, skończmy z tym poczuciem winy, to trzeba egzorcyzmować!, mówię i dlatego właśnie piwko wchodzi jak w masło i dobrze, bo ma potrzeby katować się od rana porterem, może byłoby i śmieszniej, ale nie dociągnąłbyś do wieczora człowieku, z drugiej strony, po co ciągnąć do wieczora?

Najdroższa, pamiętasz tamtą rozmowę, że bardzo chciałbym opowiedzieć o tym, co mnie boli, czyli o sobie, a ty znalazłaś to jako świetny projekt i obiecałaś, że pomożesz mi w jego realizacji?, kiwa głową, płucząc ekomarchewki, chyba będzie dziś jakiś organic food dinner, tylko mi nie gotuj soczewicy, dziewczyno, nie to, że jestem wybredny, ale pół życia spędziłem w sekcie, a tam serwowali wyłącznie strączkowe, mówię, ona kiwa głową, że też nie przepada, tak że luz, możesz kontynuować, więc mówię jej, że wszystko sprowadza się do tego, że pracuję właśnie, za jej namową, nad dziełem, autobiografią totalną, dziełem absolutnym, które być może nie zostanie zrozumiane, ale pozwoli osiąść w spokoju na laurach i odcinać kupony.

Naturalnie, że się zgadza, przecież właśnie o tym mówiła! To świetnie, mówię, słuchaj zatem uważnie, wiesz, że w wyniku braku pozytywnych bodźców moja pamięć przestała należycie funkcjonować..

Kochanie, pamięć to jeszcze nie wszystko!, to mi się podoba, co mówi, ale nie musi od razu przerywać, jest jednak sposób, aby odblokować zaginione w dżungli neuronów pokłady historii, tam żyją prawdziwe cywilizacje, tam się zanotowała wiedza jak żyć!, opowiem ci o pewnym zdarzeniu, które spotkało mnie w pociągu do poznania, gdzie wśród śmieci i odpadów znalazłem żołnierzyka, rodzaj cyborga, jakimi częstowane są dzieci w sieciowych fastfudach, a jego widok otworzył mnie jak puszkę napoju gazowanego, tamto prawie mistyczne doświadczenie pokazało, że w przedmiotach odbijają się me wspomnienia, a czas na zawsze utracony wraca z martwych jak żywy.

Nie mija jakiś czas, jaki, nie wiem, bo wypijam resztę tego, co jest w lodówce, w salonie przy wejściu pojawiają się artefakty, na początku z okolicznych komisów, ale jak trzeźwieję, to przyłączam się do akcji ZBIÓRKA i zaczynam licytować, nie ma co czekać na ostatnią minutę, bo zdarzają się szmaty, które na kilka sekund przed końcem wysoko przebijają, a pewne aukcje już się nie wrócą, pewne rzeczy, być może kluczowe symbole, pamiątki z przeszłości znikają z oczu na zawsze, a na to sobie nie możemy pozwolić, dzieło musi być kompletne, to znaczy wyposażone we wszystkie znaczenia, żeby tak się stało, jeszcze raz ci to powtórzę człowieku, potrzeba przedmiotów, które spowodują, że przeszłość odsłoni się we wszystkich tonacjach, tu chodzi o chemię, mówię, ona kiwa głową.

Po prostu klikaj i bierz, mówi, po prostu klikaj i bierz, a tata jest też właścicielem firmy PRZEWOZOWEJ, więc rzeczy pojawiają się jak grzyby po deszczu – co za dupa!, zc świecą takich szukać!, pełne zrozumienie dla sztuki i dlatego już nawet nie patrzę na załączone zdjęcia, czytam tylko opis i biorę na pniu, *kup teraz* i składzik się zapełnia, to wszystko się przyda, a potem się to sprzeda, a więc złoty interes, zarobek na książce, która z tego powstanie i artefaktach, bo te się potem puści i będą to rzeczy kultowe opatrzone logiem CULT.

Zobaczysz, to będzie arcydzieło!, całkowity total magnum!, mówię, majstersztick!

Jak to dobrze, że się spotkaliśmy, mówi, teraz w tym świetle wewnętrznym wygląda dużo lepiej, młodziej, wszystko się prostuje, każda z krzywizn i niedoskonałości.

Właśnie, mówię i jeszcze kilka klików *kup teraz*, a potem *płacę* przelewem z konta papy i dziękuję, że jest moją muzą, bo jest dla mnie wszystkim, a jej rodzina to wspaniali, cudowni ludzie.

Życie układa się jak w madrycie, przedmioty łączą się w kolekcje, a tych przybywa w postępie geometrycznym, ale nadal nie mogę znaleźć tematu otwierającego, dlatego istnieje ciągła potrzeba na openery, drobiazgi, które uruchomią lawinę twórczą, sprzączki, guziki, kapsle, jest tu wśród tego zagrzebana milicyjna pała, nie raz nią pewnie tłumiono strajk, pamiętam, wtedy chodziłem w rajtkach, chodziłeś wtedy w rajtkach człowieku, jak zwykły berbeć, rajtki cię gryzły, majtki piły, dzieci szczypały, trauma osiemdziesiątych, piękny punkt wyjścia, potem można wskoczyć w muzykę, na regałach piętrzą się winyle, przeglądam, okładki jedna za drugą przywodzą na myśl takie różne, masz to na końcu języka człowieku, ale jeszcze nie potrafisz zwerbalizować.

Więc nurkuję między graty, jest już tyle tego, że nie wiadomo, po co to wszystko, co ci człowieku przypomina ten poskręcany jak pępowina kabel?, a może – po nitce do kłębka, łapię się kabla jak niewidomy, prowadzi w dzikie ostępy, klasery pełne znaczków, wszystkie wizyty papieża, słynni sportowcy, naukowcy, ptaki, zwierzęta, auta, klęski żywiołowe, zatarte kadry z dzieciństwa stają przed oczyma jak w kalejdoskopie, pierwsze wyprawy z ojcem na plac centralny, z boku bloku sklep dla filatelistów, tatusiu, kup mi hot-doga, mówię, a stary kręci głową, że nie da się, zabrakło kiełbasek, dlaczego ty mnie robisz w buca, mówię do niego, do wspomnienia, ale nagle dostrzegam, że na okrąglaku jest kartka *hot-dogów brak z powodu braku kiełbasek*, sorry stary, mówię, że wtedy tak było, ale wiń się, bo nie umiałeś wtedy czytać człowieku, kabel prowadzi mnie dalej, głębiej, chyba w kierunku środka, ale nagle się zrywa i stoję w punkcie jakiegoś wyjścia.

Dobra, mówię, badziewia jest dość, teraz tylko siąść i pisać, mówię, i siadam, że aż stołek stęka, ale nic się nie rodzi, no, mówię, naprzód..., ale to się na nic nie zdaje, zacznij od tego, że się urodziłeś człowieku, tak, *urodziłem się*, piszę, ale zaraz zaczynam abstrahować, że co to właściwie znaczy i czy aby na pewno się urodziłem, czy się nie rodzę na przykład cały czas albo czy przez cały czas nie umierasz człowieku, więc zwijam to w kulę i rzucam za siebie, połać nowej otwartej strony działa jak płachta na byka, i kiedy ona się pojawia i pyta, przynieść ci piwko?, to szlag trafia na miejscu, ale nie czeka na odpowiedź, tylko idzie do lodówki, kamień spada mi z serca i chyba o to właśnie chodziło, przestaje być atrakcyjna ciągła obecność tej podfruwajki, wybija cię z rytmu tworzenia człowieku.

To jest dobre, mówię, nie *urodziłem się*, ale *wybiło mnie z rytmu...*, daleka metafora, to się znajdzie w podręcznikach dla młodzieży tłustym drukiem, pisarz posługiwał się niezrozumiałym metaforycznym slangiem, zinterpretuj to, ale teraz już nikt nie chce interpretować, leniwe i gnuśne człowieczeństwo, *leniwe i gnuśne społeczeństwo, piszę, które morduje z premedytacją najlepsze jednostki*, człowieku będzie to historia człowieka, który został opluty, zhańbiony i zniszczony przez leniwe i gnuśne społeczeństwo, mówię i zaczynam pisać, fervor twórczej pracy, muza przyssała się jak końska mucha, ciągnie krew, ale nadstawia tyłka, to się nazywa układ symbiotyczny, i ona tu się nagle pojawia z jakimiś czekoladkami, kartonowe pudełko free trade, bez ozonu i benzoesanu, po prostu pure natura. Kochanie, mówi i podtyka pod nos.

Nie, nie, mówię i przesuwam ją do korytarza, są tu zmagazynowane meblościanki, w jakim chcesz kształcie i kolorze, wśród takich człowieku spędziłeś pół życia..

Chciałam ci osłodzić dzień, mówi, wścibski nos między misterną piramidą roczników statystycznych, annały lecą na pysk jak domek z kart, na twarzy grymas, gorycz, wygląda ohydnie!, suszona śliwka w syropie z żółci.

Nie, nie, dziękuję.., i prowadzę ją w drugą stronę, krótki spacer na koniec strychu, to jest twoje miejsce, wśród bibelotów wszystko po cztery złote, afrykańskie fetysze uśmiechają się do mnie ze zrozumieniem, te rzeźbki wiedzą, co to cierpienie. Kochanie, co się z tobą dzieje, co się z nami dzieje?, mówi, wilgoć w oczach.

Kochanie, nie jestem pewien, czy.., mówię, wzdychając, odwracam głowę, bo bogiem a prawdą, nie wiem, do końca nie jestem pewien, czy to na pewno ta, z którą chcę dzielić konto oszczędnościowe, jak już się rzecz jasna to wszystko napisze i posprzedaje, i zrobi się na tym hajs, co jest piękną pieśnią przyszłości, a teraz wolałbym, żeby nie wściubiała nosa w nie swoją przeszłość, przecież to są moje wnętrzności, a nie reality show!

Nie chcesz już ze mną być?, mówi, to się prawie z tego robi arthouse'owy melodramat, tylko mi tu nie zacznij śpiewać, bo to nie *tańcząc w ciemnościach*.

Aż tak źle to nie jest, mówię, bo bogiem i tak dalej, gdzie by mnie było stać na taką pracownienkę i analogową bazę danych, czego człowiek nie dotknie to kawał porządnej przeszłości, ale tego jej nie mówię, bo to są rzeczy drugorzędne, to co się liczy, to jest myśl autorska i talent.

Też cię kocham, mówię, jesteś wspaniałą, cudowną i delikatną istotą, czasem odnoszę wrażenie, że nie jestem ciebie godzien, i nie mówię tego, żeby coś zasugerować, po prostu jestem tak szczęśliwy, że zastanawiam się, jak to jest, kiedy człowiek nie jest tak szczęśliwy, ale oboje jesteśmy dorośli i wiemy, że nadmiar szczęścia paraliżuje i obezwładnia, to, że przestaję okazywać ci czułość i emanuję obojętnością, wcale nie oznacza, że przestałem cię kochać, mówię, ona od razu w płacz, że czyli, że to koniec i koniec.

Nie zachowuj się jak stara alkoholiczka, mówię, bo po prostu musimy od siebie odpocząć, daj mi kilka dni, zamieszkam po drugiej stronie strychu, ok?, i dalej lecę po tej łące, że jest najważniejsza, że mnie stworzyła i dzięki niej mogę zrealizować się jako artysta, a moje życie znalazło spełnienie u jej boku, na dowód czego przytulam ją, łka na piersiach, jakby coś przeczuwała, nadchodzący the end, i teraz powinieneś zaprzeczyć człowiekowi, ale nie zaprzeczam, brak sił na roztrząsanie tej kwestii.

Przepraszam, ale musze wrócić do pracy, mówię, nie czekam na reakcję, znikam wśród kępy paprotek i pogrzebowych wieńców, których teraz dużo więcej, i dużo więcej jest innych rzeczy, strych jak żywy organizm niepostrzeżenie obrasta w drobiazgi, o których istnieniu nie mam pojęcia, ale które potem, jak teraz to widzę, przydadzą się, by ofutrować powieść niespodziewanym szczegółem i cieszę się na myśl, kiedy to wszystko zostanie wydane, jak to już zostanie wreszcie napisanie i z tej radości zmierzam do łazienki, bo trzeba się przed pracą podładować, towar jest dobry, euforyczny, po jednym machu ustawia na właściwej pozycji, przy okazji stawiam klocka, i co się okazuje?, brak papieru, to trzeba zgłosić do dyżurki człowieku, za kiblem cała sterta, stare gazety, korespondencja, sięgam, drę, mnę, uzdatniam do użycia, a przy okazji skanuję, listy przewozowe, rachunki, wyciągi z konta, nawet historia naszego mailingu, skąd się tu to znalazło, może ja przytargałem?, ale wśród listów jakieś adresowane do matki, i nawet jest jej, matki, odpowiedź, nieco zdawkowa.

Kochanie, mamusia kocha, tatuś śle pieniądze, jak obudzisz się i wejdziesz na konto, to już będą, co u ciebie?, mamy nadzieję, że dobrze, jak ci się mieszka na strychu?, kochanie, odnośnie do tego, o co prosiłaś, niestety to niemożliwe, wydanie książki, o której pisałaś, nie ma kompletnie sensu i wcale nie chodzi o szalony pomysł opisywanie życia 1:1, czyli o objętość pozycji, a co za tym idzie, trudności z dystrybucją, sprzedażą, ani też o to, że ekshibicjonizm, jakim epatuje autor, jest zdecydowanie passe, chodzi przede wszystkim o to, że nadesłane próbki to podręcznikowy przykład grafomanii, naiwna próba zaistnienia poprzez pseudoeksperyment, zresztą to nawet nie eksperyment, a żałosna próba naginania dostępnej rzeczywistości, programowe chamstwo i konfekcjonowane pijaństwo, ten człowiek próbuje jechać na tym jak na koniu, ale to nie ta gonitwa, kochanie, gdybyśmy jako wydawnictwo zdecydowali się wydać podobny gniot, każde z szanujących się środowisk twórczych obłożyłoby nas fatwą, na co nie chcemy/nie możemy sobie pozwolić, by the way, ojciec mówił, że wykupiłaś połowę kolekcji z internetowych aukcji, czyżby jakieś nowe hobby?, a więc wreszcie zajęłaś się czymś pożytecznym?, wspaniale!, może znajdzie się tam kilka bibelotów, które ożywiłby nasz zimowy pałac, twoja kochająca M.

Nazywasz to bibelotami, wiedźmo?, to moje życie zaklęte w przedmiotach!, a to ci stara dziwka!, wereda!, krzyczę, echo niesie się wśród rzeczy, głos wraca zniekształcony jak ryk rannego zwierzęcia, odwracam się, stos rączek, główek, nóżek, setki plastikowych oczu, sukieneczki, buciki, szklane paciorki patrzą na mnie jak laleczka chucky, na chwilę rodzi się nieprzyjemna chemia, człowieku powinieneś urządzić tu *Lśnienie* i rozpieprzyć to wszystko w pył!, albo nie rób tego, później nie dojdziesz, gdzie co leżało, a pewien porządek, mówię, musi być zachowany.

Kieruję się do lodówki, bo chemia mi leci, jakieś łkania w kącie, porzucona jak lalka, sierotka marysia wśród glinianych krasnoludków, zapowiada się orgietka, co?, mówię i pieprzę to wszystko, w lodówce nowa bateria, na szczęście!, wciągam dla odmiany lagera i ostrzę zęby na porterka, na chwilę robi się raźniej, chemia level zero i idzie na plus, wracam niby do siebie, ale skręcam do drugiego kąta, pod plastikowym drzewkiem oliwnym ławka z wiejskiej chałupy, siadam, na drzewie miast liści koreczki, nadziane na wykałaczki zakąski, smakołyki pozostawione tu dla komfortu artysty, peace człowieku, stonizowanie, weź kąpiel, nie czekając na kontrmyśl, wkładam się do wanny, woda chlapie na kafle, piwko wciąż chłodne, uch..

Przyjemny początek dnia, a może koniec dnia, w każdym razie deprywacja, pod powiekami ciemność, świat rozmytych kształtów, pomiędzy nimi szczęki, jak w kultowym filmie, ale to tylko syrena wielka jak lewiatan, mleko i miód skapuje z sutków, masz ochotę na słodkie?, mówi, owszem, mamroczę, i już jestem przyssany, otwieram łapczywie usta, ale to nie mleko, tylko nabieram wody, krztuszę się i pluję, krzyczę, przedzieram przez woale pajęczynowatych obrazów jak indiana jones spieprzający przed kulą, się zapomniałem w kąpieli, a może to był tlenek węgla?, może oni celowo?, zabić i przejąć mózg, wycisnąć go jak cytrynę, najlepsze pomysły w rękach największych hochsztaplerów, na tym to właśnie polega, welcome to the artdżungla.

W łazience ciemno jak w grobowcu, strych pogrążony w cieniach, wydaję komendę, żeby się zapaliło, ale teraz inteligencja nie działa, przedmioty martwe, IQ na poziomie kamienia, człapię po omacku w kierunku kontaktu, próbuję odpalić ręcznie, na ścianie jakieś wajchy, ciągnę – bez efektu, okna połaciowe wizualizują noc, przedzieram się przez strych, pod nogami korzenioplastyka albo drewniany masażer, ostre, najeżone czymś wałki, stopy tracą oparcie, lecę na pysk między rzeczy, jelenie rogi, sarnie czaszki, wypchane ptaki, bażanty, sowy, kły dzików, skóry z lisa, szafka pełna okazów, niemowlę z dwiema głowami, mózg znanego polityka, może nawet piłsudski, kobieta z wnętrznościami na wierzchu, jelita unoszą się w formalinie jak wstęgi, to się nie może przewrócić, odsuwam się, łapię równowagę, ale znów ją tracę, wpadam w hałdę gumowych zwierzątek, kąpielowe kaczuszki, ptaszki-pływaczki, pierdzące zabawki, zaraz się puszcza seria pisków i popierdywań.

Podnieś się człowieku i szybko zniknij za rogiem, podpowiada instynkt, dwa raz nie musisz powtarzać, szus, ale wpadam w stos jakby siana, to nie może być siano, może anielskie włosy, miękko, przyjemnie, ale zaraz potem rozsypujące się szkło, kolekcja glinianych świątków poszła się jebać, ale to się jeszcze odratuje, po prostu polepi się ze sobą, może to i lepiej?, kierunek zmutowany symbolizm i chaotyczny abstrakcjonizm, wspomnienia sklejone ze sobą jak dziwaczny golem, także nie bój nic, jeszcze to wyprowadzisz na prostą człowieku, leżę bez ruchu, bo nagle jej głos przebija się przez wszystko.

Co się stało?
Nie wiem, mówię, kąpałem się i nagle zgasło światło, kochanie, możesz zapalić, możesz coś zrobić..
Poczekaj, mówi, w tle rumor, trwa to i trwa.

Nie da się, mówi wreszcie, to nie korki, może wyłączyli w całej kamienicy.
To może zobaczysz na zewnątrz?, mówię.
Znów rumor, coś spada, wreszcie jej głos, miałeś rację, na klatce schodowej też nie ma światła, drzwi zatrzaskują się, zaraz

znajdę latarkę, gdzie jesteś?, siup, wśród stert snop światła, i mów do takiej, tłumacz jej, to bezcelowe, nie wiem, gdzie jestem, mówię, jakoś sobie dam radę, przetrwam do rana, a ty się lepiej zajmij czymś ważniejszym.

Nie mogę się do ciebie przedostać, mówi, korytarz jest przywalony różnymi rzeczami, znów brzdęk i głos, obawiam się, że lampa będzie musiała zostać zreperowana.

Co?!, mówię, chińska lampa stojąca, z której wykręcono żarówkę, wyrwano oprawkę i zalepiono dziurę gipsem, moje kosmiczne drzewo do reparacji?, przecież to chluba mojej kolekcji!, ale nie słucha, gdzie jesteś?, mówi, idę do ciebie z pomocą humanitarną, niosę pyszny likier.

To jest dobry likier, wiem, bo piłem, ale nie, nie, masz tu jeszcze porterka człowieku, a potem się będzie improwizować, nie wiem, gdzie jestem, mówię, byłem w łazience, ale wyszedłem, wpadłem na kilka rzeczy, zrobił się chaos i teraz nie wiem, gdzie jestem, nie ma sensu szukać.

Nie mogę się przedostać!, krzyczy, nie słucha mnie wcale między wierszami, to trzeba będzie jutro wszystko poukładać, poproszę pana Maryjana..!
Nie wpuszczaj mi tu tego gnoja!, to jest mój świat, moja świątynia!, mówię i słyszę, że jakaś ściana runęła i ona jest już całkiem blisko, w pionie archiwalnych tygodników, miesięczników, popołudniówek, solidarność, trybuna ludu, głos nowej huty, wyczuła mnie szczwana sztuka, chowam się za rogiem kolorowych szmatławców i obserwuję scenerię oświetloną światłem latarki.

Tu jestem, mówię dla jaj i przemieszczam się do korytarza obok, pomiędzy drewnianymi zabawkami, ciężarówka, którą ci stary kupił w międzyzdrojach, gumowy wąż ze szklarskiej poręby, prawie się gubię między wspomnieniami, ale instynkt cuci jak surykatkę, która usłyszała szmer na stepie, widzę, ona zawraca, przebiegam przez rzucone wśród rzeczy skrzyżowanie, jakiś szósty zmysł się włącza, tak jakbyś miał gps w bani, a nawet sam był gps-em człowieku.

Jesteś tu?

Jestem obok, mówię, ona się chyba wkręca w ciuciubabkę, dobra, idę!

To się po jakimś czasie staje szalenie męczące, chowam się tak, że nie może mnie już namierzyć, więc zaczyna łkać, a potem mówi, chciałam ci tylko powiedzieć, że jestem w..

Gdzie jesteś, co?, mówię, kompletnie nie interesuje mnie to, gdzie jesteś; gdzie jesteś, tam pozostań, ale tego nie mówię, ona coś smęci tam w swoim kącie, o żadnej ciąży nie chcę nawet słyszeć!, mówię, ja już to przerabiałem, zresztą, o czym w ogóle ona mi tu mówi, przecież penetracja była wirtualna!, to co jej się urodzi?, elektroniczny morderca?

Nie cieszysz się?, mówi, jej głos dobiega zza pleców, stoi tu jak wariatka, straciłeś czujność człowieku i teraz za to płać. Ależ oczywiście, że się cieszę.., mówię, bardziej do siebie niż do niej, zaczynamy się obejmować, przytulać, łasi się jak do partnera, przecież to jakaś prowokacja, gdzie twórcze spełnienie, wydawnictwo, które wchodzi w ciemno we wszystkie offowe pomysły, które promuje aż do skutku, czego wynikiem jest

tournee i to nie po dupach, ale wenecja, berlin, londyn, gdzie
sukces..?
Czyli dałeś się złapać na haczyk człowieku.

Musisz się teraz mną opiekować, zajmować, mówi, musimy
zrobić wszystko dla naszego dziecka, bo nasze dziecko jest dla
nas najważniejsze.
I to *nasze dziecko* jest wymawiane ze specjalnym naciskiem,
dużą, grubą czcionką, kryje się pod tym prawie zwiastowanie,
wielka światłość, kiedy ja potrzebuję do pracy cienia, wiecznej
nocy!, więc to się tak nie może skończyć, jak się kończy, odwracam się i biegnę, przemierzam stosy rzeczy jak olimpijczyk,
skaczę przez hałdy dziadostwa, półki pełne pięknych drobiazgów, zamykaj za sobą korytarze człowieku, pal mosty, bo to
jest dobry moment, żeby na jakiś czas zniknąć.

Labirynt

Kochana,

najserdeczniejsza przyjaciółko, towarzyszko życia, słodyczy piękna i wspaniałomyślna, jak mogłaś wnieść, że Cię nie kocham albo że kocham Cię mniej?! To kompletna bzdura, bo kocham Cię, ale inaczej, miłość przyjmuje różne, czasem najdziwniejsze maski, udaje, że już nią nie jest.. Kochanie, na tym polega uroda uczuć, nie możesz oczekiwać, że zawsze będzie tak samo.

Przyznam, że bardzo mnie przygnębiło oświadczenie Twej matki, wiem, że ukrywałaś je przede mną, ale lepsza jest zła prawda niż dobre kłamstwo. Twoja matka uważa mnie za zero, ale nie ma racji, przez kilka ostatnich lat nie tyle upadałem, ale kamuflowałem się, medytowałem i odpoczywałem, nabierałem powietrza i doszedłem do wniosku, że człowiek musi coś po sobie zostawić. Czy zostawianie po sobie nieudolnych prób literackich ma jakiś sens? Prawdziwy pisarz musi zostawić po sobie coś WIELKIEGO, i oto właśnie jest, powstaje na naszych oczach, monumentalna autoautobiografia, księga ksiąg, dzieło ostateczne.

W papierach znalazłem także Twą korespondencję z tą niemiecką

fundacją, wygląda na to, że przyznali mi stypendium, to świad-
czy o tym, że prorok nigdy nie zostanie zrozumiany we własnym
kraju. Jestem Ci oczywiście wdzięczny, problem jest innej natury,
niestety nie będę mógł partycypować w korzyściach z niego płyną-
cych, regulamin zakłada uczestnictwo w miejscowych warsztatach
bibliotecznych, czego z przyczyn niezależnych nie mogę zagwa-
rantować, słowem, czy Niemcy nie mogliby przysyłać pieniędzy
tu? Kochanie, możesz o to zapytać?, w końcu są nam winni za
ostatnią wojnę.

Wiem, co chcesz powiedzieć, podajesz mi rękę, a ja spluwam
w nią najczarniejszą flegmą. To prawda, z drugiej strony znasz
mnie, musiałaś wiedzieć, że wyjazd będzie niemożliwy! Nie mo-
gę jechać tam i pracować nad autoautobiografią, bo autoautobio-
grafia jest tu, razem z nami, ma szansę powstania tylko wśród
przedmiotów, które brały udział w mym życiu, no więc jak to so-
bie wyobrażasz? Pozwól, że ci to unaocznię, konwój tirów i eki-
pa rekonstrukcyjna tam u nich, ekipa dekonstrukcyjna w kra-
ju i powrót, kilka miesięcy trwałaby sama logistyka! Wszystko to
za marne pięćset euro miesięcznie?, na boga!, pomyśl, zanim za-
czniesz podawać takie absurdalne pomysły, zapytaj jednak o pie-
niądze, jestem pewien, że przyślą, w końcu pracuję dla dobra
ludzkości!

Pomyślałem też, że konieczne jest odcięcie się od wszelakiej infor-
macji i ograniczenie kontaktów! Zastanawiałaś się kiedyś, dlacze-
go nasz mózg wykorzystuje tylko naście procent swych możliwości?
Odpowiedź jest prosta: mózg jest zasypany informacjami i nie wie,
którą przetwarzać najpierw, system się zapycha, człowiek zostaje

schwytany w sidła apatii i pozornego lenistwa, teraz, odcięty od natłoku informacji, doświadczam euforii czystego stworzenia, po wielu latach odnalazłem utraconą intuicję!

Z tym większą przykrością donoszę, iż nasz kontakt zostanie zredukowany do zera. Kochanie, wiem, że to wielkie poświęcenie, moje serce krwawi! Chciałbym jednak, żebyś usłyszała o genialnym pomyśle, na jaki wpadłem. Po mojej śmierci nie tylko moja autoautobiografia sprzeda się świetnie, ale wszystkie napisane już rzeczy! Nie zamierzam się zabić, zapewniam! Dobrze byłoby na jakiś czas zniknąć, napisać książkę i obwieścić światu, że popełniłem samobójstwo i wrócić na piedestał jak martwy, niesiony na marach reklamy, świetne, co? A propos kwestii finansowych, będziesz musiała skontaktować się z moim prawnikiem, z przyjemnością omówi z Tobą szczegóły umowy obejmującej wyżej wymienioną strategię promocyjną, jako autor pomysłu chcę przynajmniej siedemdziesięcioprocentowego udziału w zyskach.

Nie próbuj mnie szukać, uwierz, że muszę zrealizować się jako artysta, co będzie dobre dla naszego związku, uwierz mi, nie ma niczego gorszego niż spędzić życie u boku niezrealizowanego artysty, och, po prostu wyobraź sobie, że zostałem przywalony górą śmieci, spod której nie mogę się chwilowo wydobyć, zobaczysz, jak się uda, a nakład się sprzeda, pojedziemy na wymarzone wakacje.

Jednocześnie proszę o pozostawienie mi, w wyznaczonych wcześniej miejscach, dwóch posiłków na ciepło i jednego na zimno lub produktów, z których będę mógł coś na szybko przygotować,

203

oraz zapasu napojów o różnej zawartości alkoholu, kocham Cię i nie mogę się doczekać dnia, kiedy zabankietujemy po akademii noblowskiej..

Na zawsze Twój
Sławomirek

Siup, list ląduje w szparze między książkami, tu go zobaczy, wracam skrótem do siebie, na drodze rozsypane monety, srebrna numizmatyka, klasery pełne znaczków, czyli na Placu Centralnym była filatelistyka, obok robole ciągnęły jabole, chodziłem tu po szkole na flipery, ile razy na tej trasie skrojony!, potem z taką jedną w krzakach, wielokrotnie spalony, tu w labiryncie NCK-u, pierwszy czaj z wkładką, w piwnicach trutka na szczury, kałuże moczu, trzynastka w fabryce, kiepy gniją w rowach, krzaki, hałdy, dzikie drutowiska, między blokami baba i krowa, dają się tam doić też zwykłe dziwki.

Uch, człowieku, teraz wystarczy siąść i to przelać, opowiedzieć o tym litera za literą, nic nie opuściwszy, ale najpierw się podlej, zmyj traumę w wewnętrznej saunie, po to służyła woda ognista człowieku, napieram dalej, trochę po omacku, bo ściany zmieniają kształty, czołgam się pod stertą plastikowych owoców i jarzyn, one stały człowieku na wystawie warzywniaka, tak je zobaczyłeś po raz pierwszy, dalej są foremki, które formują ciasto na tartę i ucieraczki, teraz chyba trzeba tędy, przez sekcję maszyn, minisztaplarka, pilarka, betoniarka, w różnej wielkości wiadrach zestawy sztućców, zwały pościeli, ręczniki, ręczniczki, jak spuścizna wojenna albo wyprawka, można by z tego wykroić kilkanaście kompletnych kwadratów, teraz stop, skręć w prawo, regały i meblościanki, pilśnia siedem zero, wciśnięte w biblioteczkę książki, te śmieci cię kształtowały człowieku, przygody brodatej kozy, dionizos z pacanowa, po prostu szatan, siódma klasa i pierwszy raz laski, tamta wycieczka, jaja jak banany, kolesie moczą z wrażenia ściany, odsuwam to za siebie, prę dalej, na skróty, wejście przez pawlacz, sprytnie nawet pomyślane człowieku, mówię, kładki, zapadnie, ściemnione korytarze, odnogi prowadzące w ślepe zaułki, no miniatura krzyżackiego zamku, wakacje z dupami, jezioro rożnowskie, solina, pływacie do rana w mulistej malignie, zapadam się w norę, własny bezpieczny świat, tu mnie w gnieździe nigdy nie znajdziesz i tak ma być, kładę się, kulę jak kulka, zapada cisza, w tym absolucie natchnienie przychodzi jak złodziej w nocy, że prawic go nie zauważam, ale kiedy wreszcie widzę, to nie chce mi się wstać, bo wiem, że zaraz wpadnie po raz drugi, wystarczy sięgnąć ręką jak po owoce poznania.

A wokół, na wyciągnięcie ręki wszystko co potrzebne, wielkie tytuły spakowane na dyskach, w klastrach światy w pigułce, ale i pamiątka pierwszej świętej, pass na metro w Blondynie, karta video wyp. *Lewiatan*, legitymacja szkolna i partyjna, dowód osobisty, indeks, karta rowerowa, prawo do jazdy, numer identyfikacji podatkowej, regon, dowód rejestracyjny, karty gwarancyjne, umowy zlecenia, pity, wydruki, notatki, zawiadomienie o popełnieniu przestępstwa, podanie o przeniesienie na inny kierunek, prośba o odroczenie spłaty, weksle kredytowe, dyplom ukończenia kursu *Zarządzanie jednostką ludz-*

ką, wycinki z gazet, różne rzeczy, przepis na wino z ryżu na szybko, kolekcja pornolatino, nawet *Biuro bizzar sezon*, a dalej bibuła z podziemia, wyznania mistyków, historie zbrodniarzy, papier toaletowy pamiątkowy z euro 2012 (który był rokiem końca) i srebrna buła, w środku trzydzieści gramików!, i naście papierów, to jest tyle, ile potrzeba na podróż do ciepłych krajów, a jak się to racjonalnie rozparceluje, to styknie, żeby objechać kulę ziemską człowieku.

Tak można pracować, człowiek zabezpieczony jak na ruską zimę, bo dopiero kiedy się zabezpieczysz, możesz zobaczyć drugą stronę, lustro nie puszcza ludzi nieprzygotowanych, którzy chcą za krawędzią światów rozsiewać turystykę, więc ładuję zioło w świeże szkło, o jakie piękne jest świeże szkło!, rzeka dymu meandruje wprost do ust jak wąż percepcji i już wiatr inspiracji omiata procesor, człowieku spożyj komunię ze sztuki, wrzucam po omacku coś na tapetę, do tego jakaś muzyczka, slajd show, w kolejnym oknie kukiełkowy teatrzyk, w następnym erotyk, na kolanach biblia i wielki atlas świata, wpuść to do środka człowieku i nawet się nie staraj przeżuwać, zmiel lekko i wypluj z powrotem, o jakie doskonałe hamburgery!, gdybyś zaczął je sprzedawać, byłbyś bogaty człowieku!, tak że idź tą drogą, wciągaj kreskę form, konsumuj idee i zwracaj w formie zgrabnych bułeczek z mielonym, podawaj same najostrzejsze kawałki, drobiazgowe opisy procesów gnilnych i wydalniczych, czyli alchemię.

Loguję się w wyrze, wyścielone owczymi futrami, na ścianach lampiony, robi się nastroik, przytulnie jak w gawrze, biorę bucha i uch, ale buch, że aż przez ucho dym, pod ręką fullbar, mistykoleptyki, wóda leje się z nieba jak manna, czyli wszystko, co potrzebne, by przyglądać się różnym aspektom świata w tym samym momencie, a w innym kontekście, na ścianach kolaże, na których święci ujeżdżają osły, tak że już możesz zacząć pisać, mówię, siadaj, otwórz się i pisz, siadam i biorę łyka, w szklance spieniony żółty płyn, wewnątrz dryfujący ser, a może pet, przez chwilę wygląda to nawet na egzotyczną rybę, ale zaczyna cisnąć, co ty masz z tym pęcherzem człowieku, zbadaj sobie prostatę, bo jesteś już w tym wieku, ale teraz przydałby się po prostu pampers, nie musiałbyś chodzić co pół godziny do kibla, zwłaszcza że droga do kibla to pół godziny, powrót drugie pół, tak że ciało, ta dziwka, zawsze potrafi się wyłamać i to jest minus nory, w pudełku zaimprowizowana lodówka, wewnątrz jeszcze jedno jasne, więc piję, żebym nie musiał potem drugi raz iść i zawijam do kibla.

Za każdym razem innym wyjściem, total konspira, szafa pełna futer z nutrii, niektóre osobniki z głowami, syberyjskie lisy, dalej w podobnym guście, cekiny na manekinach, czerwona dzielnica, sterty starych erotyków i takie tam bzdety, nawet się to udało posegregować, rządzi tu pewien porządek, gdzieniegdzie jawne niedoróbki, ale nad tym popracujemy, zegarki ułożone w stosach pracują rytmem jednostajnie przyspieszonym, i nagle nie mogę znaleźć tego przejścia, tunelu od wejścia do wyjścia, lost in the loft word.

Tu zrobić korytarz, to dobre miejsce na skrót, mówię i targam otomanę, perskie dywany z odzysku zalegają na sobie jak pancakesy, nurkuję pomiędzy wodne faje i wynurzam wśród religijnej konfekcji, to się szybko mixuje ze sztuczną biżuterią, która ocieka po kuflach z sygnaturami niemieckich browarów, są tu jeszcze surfingi, biegówki, deskorolki, ponadto narciarskie kijki w pyskach rytualnych masek, które tkwią jak dresing w chińskich czajnikach na prąd, matka gotowała w takich wodę na herbatę człowieku, kamień zalegał na ściankach, w piątek nie jadło się mięsa, ukradłeś bratu pieniądze ze świnki, i nagle lać chce się tak bardzo, że puszczam strugę na framugę okna percepcji, wspomnienie znika jak dym.

Pojawia się głód, to już ta godzina?, ciało domaga się myta, tylko nie doprowadzaj do deregulacji biozegara człowieku, potem się z tym wiążą problemy, zaparcia, wrzody, nawet sraczka i latasz do sroca jak wyczynowiec, a na to sobie nie chcesz pozwolić, bo jesteś artystą i podczas aktu stworzenia nie chcesz brukać natchnienia, więc cisnę do paśnika, w kuchni robota prymitywisty, kapliczka z niefrasobliwym, to nawet kaplica, forma zaćkana detalami, włóczkowe demony, dekorowane staniolem diabły, dmuchane dziwki w tekturowych wieżyczkach, istny babel, pod spodem grota, rodzina z modeliny, w żłóbku kanapki, więc to rodzaj żartu, żarcie w korycie jak bydlęciu, bardzo śmieszne, mówię i nawet nie biorę wszystkiego, przede wszystkim portery, na drodze drzewka bonzai, prawdziwa dżungla, karłowate, kalekie potwory splecione konarami, drzewa oskalpowane z liści, nagle las kluczy imbusowych, od tych wielkich jak bambusy, po wielkości szpilki zagiętej na końcu..

Może ci dosypała do paszy piguł gwałtu człowieku, i teraz
ci to wchodzi, imbus wielki jak bambus, stos butów, hałda
szczoteczek do zębów, odbijam w prawo i martwy punkt, pułapka, gdzie jesteś?, wśród grzebieni rogi byków, głowy kozłów,
trociny na ścieżce i imitacja afrykańskiego wołu, betonowy
posąg w wianku fetyszy, ubój rytualny, sanktuarium rzeźni,
chyba dotarłeś do podświadomości człowieku, i to potwierdza regułę, że podróże kształcą, tak że się niczym nie martw,
mówię i klepię wołu po podgardlu, dobry, dobry, mówię, a on
odpowiada jej głosem.

Kochanie, czuję, że jesteś blisko..
Nie podchodź, krzyczę, nie wolno podchodzić!, wszystko
przepadnie!
Może zjemy coś wspólnie?, ostatnia wieczerza, zarazem sty-
pa, a potem dam ci spokój, mówi, będziesz nieczynny do
odwołania.
Przestań, mówię!, bo mami bzdurami, obiadami, żarciem,
gniciem, byleby zakłócić spokój, wpieprzyć się z butami, ale
takie działania niweczą intuicję!

Przez ciebie znów będę musiał się napić, mówię, a poza tym
co z tym niemieckim sosem?, który obiecywałaś?, mówię, lepiej się tym zainteresuj, przypilnuj tej sprawy, póki się jeszcze
możesz ruszać w tej ciąży, widzisz, mówię, jak dbam o ciebie?,
nie chcę żebyś się potem męczyła..
Jesteś taki kochany!, ale wyjdź na chwilę z ukrycia i pokaż
światu choć fragmencik historii!, wszyscy czekają na nowe
dziecko proroka!, ogłoś przynajmniej jedno zdanie!

Stop!, nie chcę wcale o tym słyszeć!, tego szantażu!, bo liczysz mi czas?, ale to nie na tym polega proces tworzenia, ile nad tym siedzę, tyle siedzę i będę siedział dotąd, aż nie powstanie to, co ma powstać, i nic nikomu nie muszę pokazywać, mówię, ale widzę, że szloch, więc jeszcze, że ocknij się wreszcie, otwórz oczy, a zobaczysz, to już wszystko tu jest!, moje życie, moje dzieło, dzieło literackie bez słów!, mówię, w wywód wcina się pukanie.

Kto to?, mówię, na twarzy piana, a ona już z oddali, że zaprosiła przyjaciół.
Co ty robisz?, wpuszczasz ludzi z butami do mojego środka?, zapewniam cię, że to będzie nielegalne zgromadzenie i spotka się z represjami ze strony władzy, mówię, a ona, że kochanie, ty nic nie wiesz!, bo wszystko tak urządzone, że to promocja, nie musisz wychodzić i niczego pokazywać, czytać, wiedziałam, że na to się nie zgodzisz!
Jak coś mówię, to mówię!, mówię.
Bo ty, kochanie, jak raz coś mówisz, to wiadomo, ale ludzie chcą zobaczyć, dotknąć..
Wsadzić brudne paluchy w świeżą ranę mej śmierci!, mówię.
I dopiero wtedy zapłacą, niemcy przyślą pieniądze, ale potrzebujemy kilka zdjęć środka i specyfikacji projektu, chwytliwego opisu na stronę.
Dobra, niech wejdą, ale jak co, jestem martwy, powiesiłem się na swojej książce, skoczyłem na główkę z okładki, zresztą wymyśl coś, mówię, ale słyszę, że już otwiera, wracam szybko korytarzem do rozwidlenia, intuicja prowadzi w znajome rejony, chowam się wśród piramidy kryształów, stąd da się

to podsłuchać, a nawet co nieco zobaczyć, prawdziwy teatr
cieni.

Ona otwiera i od razu zapłakana, że jakie straszne nieszczęście,
dobrze, dobrze, graj mi tak dalej, uwiarygodniaj, mówię, do
twarzy ci ze zgryzotą, a oni wchodzą do środka, kilka, nawet
kilkanaście sylwetek, przytłumione głosy, mężczyźni, kobiety,
winszują zdrowia i pomyślności, zarazem bardzo współczują.
Witam, witam!, mówi, zapraszam do środka.
Gdzie mistrz?, jakiś głos, starsza kobieta, też się fanka trafi-
ła, takie masz człowieku szczęście, do pedałów i starych bab.
Ona dopiero teraz naprawdę pęka, zła mina do dobrej gry, nie
ma go!, zniknął!, wyje.
Co się stało?, udający szczere zainteresowanie głosik, ona chli-
piąc, że odszedłem przywalony górą śmieci.
Masz u mnie minus, mówię do siebie, jak śmiesz nazywać
śmieciem hiperłącza do mojego życia?

Wchodzi ich coraz więcej, prawdziwa artstypa, pożegnalna
gadka, spektakl w kuchni jak w paszczy potwora, w powietrzu wiszą rzewne piosnki i pieprzne anegdoty, ktoś deklamu-
je moje stare rzeczy, the greatest hits, robią się z tego jasełka,
przerysowany teatrzyk, cyrk na placu czerwonym, umarł wódz,
nie żyje wieszcz, wzruszam się, bo mimo wszystko chwyta za
serce, oni tam się też pewnie wzruszają, co napawa optymi-
zmem, otuchą, okład z miodu na serce, teraz tylko wróć do
pisania i zalej ich tekstem, dzieła zebrane, jeszcze niewyda-
ne, życie jako tekst, full 3d, jak na to wpadłeś?, jesteś bogiem
człowieku.

Ale słyszę, że tam ferment, tłum się burzy, zbliżam się o kilka kroków, wreszcie dociera treść, nie fonetyczne zlepy, szum, ale prawdziwy przekaz, ona czyta fragmenty, w których obrażam wszystkie świętości, boga, ojczyznę, demokrację, socjaldemokrację, narodowy socjalizm, radykalny nacjonalizm, przypadkowy sytuacjonizm, feminizm, mahometanizm i inne.., rośnie w ciżbie ciśnienie, jeszcze gotowi zrobić na mnie nagonkę..

Nie czytaj im tego, szepczę, ale nie słyszy, zaaferowana, przestań im to czytać idiotko!, chcąc nie chcąc, przeciskam się w stronę kuchnio-saloniku, przestrzeń okrojona drastycznie, to już nie komfortowa sypialnio-jadalnia z łazienką, ale smutna mała kanciapa z dwupalnikową płytą indukcyjną, tak że nie wiem, jak się tu pomieścili, czołgam się cicho w tunelu, łachy dziergają się, czepiają o ostre krawędzie, kolce zasieków, granica strefy słyszalności, dalej już kartony, za nimi wernisaż, odsuwam lekko sufit, acha.

Na stoliku kremówki, czarna kawa w białych kubkach, a tłumu nie za wiele, ledwie kilka person, no chyba że kłębią się przed wejściem, więcej i tak się nie zmieści, wśród nich młoda dupa, nawet niezła, świeży kwiat o rozmodlonej twarzy, może to był zły pomysł z tym marketingowym pustelnictwem, śmiercią.

Tak, tak!, mówi ktoś, chyba pedalisko, bo zaciąga miękko, teraz rozumiem, o co w tym wszystkim chodzi!, ona utrwala ten entuzjazm, dużo się o tym mówi na mieście, a będzie się mówić jeszcze więcej!

Jaka szkoda, że autora nie ma już między nami, mówi starucha z aparatem, na jej szyi złoty łańcuch, sensacyjny temat!, media dałyby wszystko za jedno, ostatnie zdjęcie artysty! Hit, mówię, to byłby hit, lucky strike. Literacka instalacja, mówi ona i wiem, że muszę wkroczyć, bo zaraz zaciemni, spieprzy to, nad czym pracowałem latami, Opus Maximo Optimo, to jest spoiler!, mówię i tym razem głos jest donośny, ale zniekształcony, więc niektórzy, aż patrzą ze strachem, skąd się to bierze, sam bóg przemówił?, więc modyfikuję taktykę promocji.

Witam wszystkich zebranych, przemawia do was autor przedsięwzięcia z samego serca wszystkiego, przebywam zamknięty w chronionym mechanizmem cyfrowym grobowcu, rozmieszczone w pomieszczeniu kamery i system nasłuchowy pozwala kontaktować się ze światem, z tej pozycji pozwalam sobie podziękować za uczestnictwo w wieczorku upamiętniającym mą osobę i zapewniając, że dzieło, które na państwa oczach powstaje, będzie połączeniem autobiografii i przewodnika duchowego.

Proszę nam zdradzić szczegóły, mówi ta stara, spoglądam od niechcenia na młodą dupeczkę, oczka świecą jej jak kociakowi, człowieka ogarnia chcica, żeby wyskoczyć i oddać się tej jawnogrzesznicy.
System kamer i elektronicznego nasłuchu pozwala mi kontaktować się ze światem, mówię, spieszę z wytłumaczeniem; moja śmierć ma charakter czysto symboliczny, zostałem złożony do grobu na dziewięć miesięcy, ale wkrótce wychodzę,

by stanąć obok zmartwychpowstałych i zaprezentować szerokiej publiczności arcydzieło, uprzedzę ewentualne pytania i powiem, że nie będzie to nic, z czym państwo mogli spotkać się wcześniej, powiem tylko, że projekt zakłada szczegółową penetrację przestrzeni wewnętrznej w celu znalezienia odpowiedzi na odwieczne pytania.

Na przykład jakie?, mówi dupeczka, ewidentnie jesteś ciekawska, pewnie odpowiadałyby ci wczasy u boku doświadczonego mężczyzny, który na dodatek jest artystą wielkiego formatu, myślę.

Kim jestem, skąd jestem, dokąd zmierzam, ale też dlaczego ceny ropy są tak wysokie, jak prawidłowo myć zęby, w pewnym sensie to poradnik, który nauczy jak żyć, jeść, ubierać się i umierać, tekst doskonały, źródło, z którego wywodzi się współczesne słowo.

Skąd pomysł?

W ciemnościach podświadomości kontaktuję się z duchami, które reżyserowały fragmenty widzianego przeze mnie życia i proszę je o eksplikację faktów, mam więc wgląd nie tylko w pionową strukturę przestrzeni wewnętrznej, ale jej przekrój poziomy, jak również przestrzenną panoramę wydarzeń, wszystko to tworzy hipertekstualną siatkę zależności, matrycę, z której czerpiemy, budując osobowość, jest to więc, myślę, udana próba osiągnięcia dzieła kompletnego, o którym śniło już wielu przede mną.

Jesteśmy po rozmowie z ministerstwem subkultury oraz udziałowcami z niemiec, niedługo wnętrze loftu zostanie udostępnione trasom wycieczkowym, będą mogły odbyć pielgrzymkę do grobu, mówi ona, słania się na nogach jak pierwsza naiwna, idiotko, przecież to jest kompletny brak profesjonalizmu, tak się nie buduje napięcia! Nie, nie, grób to jest święte miejsce!, nikt nie może go widzieć!, przerywam, czy ona nie rozumie prostych mechanizmów mistyki?, miejsce święte otworzy się dla szerokiej publiki dopiero potem i to za dużo większe siano. Niech pan przeczyta choć jeden fragment, mówi, kogoś mi ten stary przypomina, może nawiedzonego z kłońska? Niestety, nigdy nie czytam fragmentów, to byłaby zdrada całości, mówię, ale zapierają się, jęczą, proszą, kwiczą, więc start, oto źródło czystego paliwa, przekaz automatyczny, lot prawie szamański, gadam językami, ruski się włącza, resztki niemieckiego, podstawowy angielski, zasłyszane po francusku, kilka hiszpańskich słów, nawet sentencja łacińska, ale kończy się inwencja i pieję jak kogut, rzucam gagami z przeszłości, błogosławię słowem, duchem i ciałem, na twarzach szczere zdziwienie, może przerażenie, oto martwy bóg przemówił, cisza zapada na długie sekundy, wreszcie ktoś kracze, że co to jest?

Ach, mówię, potrzebna więc państwu większa eksplikacja, ale ten ucina, to chyba to pedalisko, nie widzę teraz, bo kłaki starej przesłoniły otwór.

To jakaś kpina?, mówi i już nie wiem, czy to czarny humor, rodzaj przekornej gry, kryg, czy coś się sypie na pysk, aborcja kolejnego dziecka.

Dużo się mówi o tym na mieście, ale niestety same złe rzeczy, mówi jakaś na oko lewicowa aktywistka, znalazła się sprawiedliwa wśród narodów, kawior ci, dziewczyno, na oczach siadł, czy państwo nie widzą, że to jest jakaś szopka?

To jest literacka instalacja, mówi ona, być może brakuje tylko przewodnika. Nie wpieprzaj mi się po raz kolejny w paradę, bo już mam dosyć tych dobrych rad, idiotko, po co otwierasz usta!, mówię. Znakomicie to pani ubrała, rzucam tej dziwce, tak niby hopsasa, że jesteś człowieku człowiekiem dojrzałym i otwartym na konstruktywną krytykę, ale ty ją człowieku powinieneś zadusić gołymi rękami, zwłoki można pociąć w kostkę i wrzucić do szamba. Nic dodać, nic ująć, mówię, póki mam głos, znakomite spostrzeżenie!, i widzę, że ją trochę tym kupuję, jeszcze chwila i zacznie się łasić, tak, mówię, dokładnie tak, po prostu szopka, obraz świata, czyli mówiąc literalnie, to jest symbolizm i nadrealizm, mówię, język kołacze się w ustach jak przećpany, bo jestem ciut zrobiony, nie chciałem o tym mówić, mówię, ale to się właśnie tak dzieje.

Liberatura, mówię, pierwsze w dziejach historii śmiałe połączenie literatury, szopki i performance, zjawisko to po raz pierwszy określane jest mianem liszomanc czy szoppertura, wspólnie z moją kuratorką, mówię i wskazuję na nią, chociaż wcale tego nie muszę robić, nie powinieneś tego robić człowieku, ta dziewczyna ciągnie cię na dno, tak więc wespół zdecydowaliśmy przedstawić ministerstwu projekt, który wprowadziłby nowy kierunek do programu nauczania jako obowiązkowy język opisu rzeczy i oczywistości, nie mówiąc o sztuce, która jest, i tej, która dopiero nadejdzie.

Mowa więc o manifeście, ale niepozbawionym walorów sztuki użytkowej, to może chwycić na międzynarodowych targach, promocja lokalnych archetypów, eksport na cały świat, tak jak pierogi, mówię.

Teraz to widzę, to jest świetne!, mówi to lewiciątko, moja ty lewicuszko, jak będziesz grzeczna, wujek pokaże ci prawdziwą lewicę.

Jak masz na imię?, mówię, ale odpowiedź zagłuszona przez gwar, podniecone głosy, sukces wisi w powietrzu!

Zrobimy duży materiał o tym miejscu, mówi ktoś, na początek reportaż w *Architekturze*, potem lead we *Wnętrzach*, ale potencjał jest dużo większy.

Dziwne nie jest, mówię, bo nad tym pracowała rzesza specjalistów, a oni mamroczą, że potrzebne byłoby zdjęcie autora, sama prasówka bez zdjęcia nie chwyci, to są porządni ludzie człowieku, dobrzy, ale zagubieni, po prostu wykonują swoją pracę, więc postanawiam dać im szansę, może symboliczna śmierć była dobrym chwytem, ale należy być elastycznym, a szopkoksiążka to samograj, więc dobra, wychodzę, artysta na chwilę powstaje z martwych, specjalnie na potrzeby numeru specjalnego, prawdziwy cud, sesja okładkowa, to się nazywa promocja, legitymacja projektu, stempel w mediach, przepustka do sławy i wyłaniam się zza kartonowej ściany jak mesjasz, teatralnie zabandażowane nadgarstki, białe płótno splamione szkarłatem, na głowie korona z aluminiowych cierni, lico zdobi ikoniczne uniesienie, otoś jest człowieku, jakaś stara alkoholiczka staje w rozkroku i strzela fotę cyfrowym kompaktem, bez żadnego ustawienia, bez porządnego flesza, to są reporterzy czy co?, kogoś ty mi do domu znowu przyprowadziła dziewczyno?

A czy mogłabym jeszcze prosić o autograf, mówi stara, dla córki..

Ładna?, śmieję się, trzeba tu wpuścić trochę oddechu w ten nadętyzm, nawet na stypie można się uśmiechnąć, choćby ze zrozumieniem, mówię.

Gdzie to mam podpisać, tu?, i składam się do podpisu, piękny mi zawijas wyszedł, ogon jak u wieszcza, nagle ta stara cipa łapie mnie za rękę.

Mam go!, mówi, i jeszcze kilku dziadów rzuca mnie na deski, ciało wgniecione w parkiet, żebra strzelają jak lód wiosenną porą i prawie tracę dech, ale oganiam się jak zraniony niedźwiedź.

Spieprzajcie dziady!, mówię i rozdaję kopy na oślep, łokieć, pięść, coś to jakoś kogoś dosięga, ktoś ryczy z bólu, dziad zgina się wpół, *kurwa* krzyczy, *złamał mi nogę!*, nie czekam kontrakcji, napieram najbliższego ciałem, przewraca się, sprzedaż piąchy w twarz, mamrocze plugastwa, ale mnie już nie ma, znikam za przepierzeniem, klikam w ścianę, zsuwa się na nich lawina dziadostwa, rzeczy spływają jak lawa, muszą opuścić salonik..

Wynocha, won!, mówię, w środku tylko ona, osuwa się na krzesło z rezygnacją, makijaż opada z niej jak kurtyna po trzecim akcie.

Połóż się w korycie, mówię, będziesz miała szopkę, a ona zaczyna wyć, ewidentnie urządza tu skecze, ale nie jesteś frajerem człowieku i nie dasz się złowić na tego typu bajeczki.

Chciałaś ze mnie zrobić doświadczalnego szczura, eksperymenty se tu urządzacie, co?, ale to się obróciło przeciwko tobie, jak mogłaś mi to zrobić?, chce się z tobą rozstać, bo działasz jak zabawka naciśnij i piśnij, wiesz?, mówię, naciśnij i piśnij, żebym cię więcej w życiu nie zobaczył, bo nie wiem, co ci zrobię, mówię i nie mogę na nią patrzeć, napuchnięta jak fasola, że niby ciąża?, ale na dziecko to ja nie jestem mentalnie przygotowany, na tak kompletny brak estetyki, bo jeżeli kiedyś była jeszcze do przełknięcia, po przefiltrowaniu siecią, wyretuszowana przez szum pikseli, to teraz kompletnie nie do przyjęcia, dobra, mówię, koniec tej gadaniny, cudowne z martwych powstanie is over, który to jest miesiąc, mówię, piąty?, siódmy?, acha, to jeszcze szmat czasu przed tobą, w takim razie do zobaczenia za kolejne dwa, może, jeżeli w ogóle.

Drzwi znów otwarte na ile się da, spóźnieni goście, może wreszcie sponsorzy, ale to tylko tata i mama, czy to jest mój ojciec i matka, czy jej ojciec i matka, mój chyba, ale zaraz się domyślam, że to fake show, przecież mój ojciec dawno nie żyje, wiec to jej papa i mama, a ona gnije na krześle, prawdziwa szopka, bo spod tyłka jak sianko strzępy gazet, matka ją z sianka wyjmuje, wyciąga z włosów plastikowe kłaki, papa się łapie za głowę, nie po to inwestował, zasilał konto, żeby teraz takie mecyje, loft cały zakurwiony syfem!, co się tu dzieje?!, mówi, gdzie łazienka, kuchnia, salon, gdzie jest to wszystko, całe wyposażenie wnętrz, mówi, bo apartament skurczony do celi, dwa na dwa, nie widać nawet sufitu, wzburzony mieszczański piesek i matka, orędowniczka wyrafinowania i wysokogatunkowej sztuki.

To jest chory człowiek!, wariat!, krzyczy ta stara wiedźmodziwkosuka, natychmiast masz go zostawić, zapomnieć, wyprowadzić, a stary wtóruje, wpuści tu ludzi i zrobią z tym porządek, w tydzień wszystko wyniosą, a choćby i miesiąc trzeba było, albo spalić to wszystko w pizdu!, wykurzyć robaka z dymem, zatruć norę chemikaliami, wywietrzyć!, i gnój szarpie za wystającego ze ściany kutasa, to wielki błąd, bo kutas jest fragmentem większej całości, to jest krucha równowaga ta literacka instalacja, nie można bezkarnie usuwać cegieł, ściana osuwa się jak blok zmaltretowany wybuchem gazu.

Jestem autorem wielkich powieści!, krzyczę w opadającą mgłę kurzu, wielokrotnym stypendystą!, jednym z najbardziej zapowiadających się nowych głosów!, dobrem narodowym!
Znam cię, mówi matka, laureat plebiscytu na najbardziej zohydziałego artystę roku!
Zapatrzone w siebie kurwisraje!, nie widzicie nawet, że córka w ciąży, mówię, bo nie zauważają tego wcale, ale to jest zła taktyka, bo lament podnosi się jeszcze większy.
Dość festiwalu nienawiści!, stop propagandzie chamstwa!, mówię, bo są pewne granice i dlatego naruszam je celowo i chowam się do nory, tu można ukoić nerw, dajcie mi tu *Katharzis*, siedem sezonów, zaraz się znajduje jakieś jarajsko,

żarełko, alko oraz inne tematy, i oto podpinasz się pod kabel przeznaczenia, odnajdujesz zagubioną końcówkę, człowieku, błoga beznadzieja otula jak kokon.

Rozwiązanie

Więc w sumie to nie był taki głupi pomysł, mówię, na suficie nory gładka powierzchnia odbijająca, wzbijam pianę, patrząc na siebie, który wzbija pianę, to się wszystko multiplikuje w nieskończoność, bo na leżu wśród futer leżą mniejsze lusterka, big bang jak orgazm bóstwa, bęc i narodziny kosmosu, prędkość sześć macha, konstrukcja rysuje się przed oczami jak żywa, figury ludzkie, gdzieniegdzie słowo, zlepy słów, ale i odsyłacze, linki i odnośniki, sznurki, haczyki, pętelki, instalacja intuicja, mauzoleum nowego kontekstualizmu.

Bierz się do roboty człowieku, mówię, jaram i cleanuję fragment przestrzeni, ładuję to gówno na stosy, buty, sztuczne usta, tu się zrobi centrum, tu będzie właściwa stajenka, stajenko-jadalenka, dostęp do sieci, ale słomiane sienniki, technoludowy model, haft bełt, w tle naturalnych rozmiarów truchła, owce, konie, krowy, króliki, koty, szczury, myszy, to się wszystko da sprowadzić z chin, na słomianym dachu siedzi drapieżnik, wielki, czarny ptak, pazury wszczepione w słomiany dach, latający demon unosi stajenkę w górę, ale wokół wielu śmiałków, trzymają budynek na linkach, to jest wręcz taka ludowa zabawa, tak zwane przeciąganie stajenki, wśród śmiałków pasterze, ochroniarze, hutnicy, górnicy, lekarze, handlowcy, łapówkarze, przekrój przez masę, na wskroś i wzdłuż, epicki rozmach, wszystko zasilane prądem, dziwne sytuacyjki, coś pomiędzy kinem, teatrem a nie wiem czym, nieźle!

Człowieku na wieść o świętych narodzinach tysiące kobiet stawia wodę na kawę, terakotowa armia, za nimi bojownicy o egzekucję długu, nie jasełka, ale opera, transmisja prosto z opery leśnej na czterdzieści cztery telewizory, supergwiazdy wyją na cześć złotego dzieciątka, karuzela kręci się jak szalona, witraż mieni tematami, fajerwerkom nie ma końca, w żłóbku nie dzieciątko, a ponury żniwiarz albo ponury żniwiarz jako dzieciątko, bo niby dlaczego w środku sianko?, stop barbie world!, prawda opuściła plastik, żółtki zalewają nas podróbą, tandetnym rytuałem, mroczna strona zupy tao-tao, dlatego właśnie ty człowieku musisz stanąć na wysokości zadania, spojrzeć na pole bitwy z góry, opracować strategię i dać temu odpór, machnąć scenariusz na nowy ustrój i podyktować bhagawadgitę.

Tam w rogu rozkręci się interesik pamiątkarski, kramy, stoliki, zwykły poczęstunek za niezwykłą opłatą, kilka tojtojów, najbardziej egzotyczna świątynia świata, obiekt wpisany na listę junesko, i zaczynam to nawet dekorować złotkiem po czekoladkach, robię wieżyczki z tektury, nagle w drzwiach wejściowych szczelina i struga zimnego światła, ktoś się chce wpieprzyć, kucam za żłobkiem i obserwuję.
Halo, halo, mówi, i skądś znam, gdzieś widziałem, ale co i jak

nie mam pojęcia, wolę nie odpowiadać na to *halo*, a on mówi, że słyszał, że robię szopkę.

Czytam prosto z twarzy, wypisane tłustym drukiem, że **nuda i jałowość**, ale może jest z gazety, więc sprzedaję ponownie bajer o grobowcu w trzewiach loftu i roztaczam telewizję, że tu w tym miejscu klękają królowie, obok bydlęta śpiewają, pasterze grają, minister kultury dziękuje, a on odbija piłeczkę, że to genialnie, stary, tylko szkoda, że to jest, stary, mój pomysł, opowiadałem ci, stary, ze szczegółami na tamtym melanżu, mówi.

Cóż on znów z tym *stary* i *stary*, darowałby se to *stary*, wkurwia człowieka takie poklepywanie po plecach!, cośmy się razem na gównach ślizgali!?, nie lubisz takich bezpośrednich gnoi człowieku, niechże lepiej już idzie!, poza tym kto kurwa używa słowa melanż, cwele i frajerzy.

Stary, nie żartuję, mówi, złożyłem na to grant, mówiłem ci o tym wszystkim!

To, że coś mówiłeś, to nie znaczy, że to należało do ciebie, a to, że coś se złożyłeś i chcesz przez to udowodnić, że pomysł jest twój, to jest czysty bełkot człowieku, mówię, bo każdy może się tu wpieprzyć i powiedzieć, *hej stary to mój pomysł*, więc pal mi tu gumy, nie przeszkadzaj w pracach konstrukcyjnych.

Stary, nie żartuję, mówi i jeszcze, że jak nie odstąpię od tego pomysłu, to on nie dostanie grantu i będzie miał przejebane, bo ma dziecko, dziewczynę i w ogóle.

To jest życie, stary, walczymy o przetrwanie, mówię, a ty, stary, pracowałeś kiedyś w życiu?, mówię, no to będziesz miał okazję spróbować, mówię i zrzucam na niego lawinę korzenioplastyki, tak zwane bieszczadzkie diabły.

Kutas stoi już na korytarzu, ale jeszcze mu się gęba nie zamyka; to ma być szopka?, to jest, stary, jakieś intermedialne nieporozumienie, za dużo, stary, pijesz, mówi, pijesz, ćpasz, a potem wszystko ci się pieprzy. A nawet jeśli, to co?, napić się nie mogę?, mówię, to jest demokracja, każdy robi, co chce, więc spieprzaj stąd, bo tematy wiszą w powietrzu, a zanim ci ten grant przyjdzie, to ja już będę to pokazywał za pół roku w mocaku, wykupili prawa autorskie, potem tournee po całej eu, może usa, stary, ale jakoś się odwdzięczę, a jak ci się to nie podoba, to mogę zadzwonić po chłopaków z Firmy ojca dziewczyny, to sobie wyjaśnisz tę sprawę.

I zaczynam go jak małpa obrzucać przedmiotami, chowa się, próbuje osłonić, ale to jest jakiś wolny koleś, więc zalicza w pałę popielnicą i znika w trzewiach kamienicy jak niepyszny, nie próbujcie forsować systemu, mówię, bo to wam na nic nie przyjdzie, nikt nie wchodzi bezkarnie na teren prywatny, mówię, jak tylko człowiek osiągnie sukces, to się zaraz pojawiają ojcowie sukcesu, ale czegoś takiego tu nie chcemy człowieku, mówię, wielkie dementi, i uderzam do nory i walę konia, zasypiam, przed oczami scena, pokój hotelowy, stolik i krzesło, człowiek jedzący jajko na miękko, kilka uderzeń łyżeczką w czubek, skorupa pęka i na tym mogłoby się skończyć, ale człowiek pastwi się nad jajem, nakłuwa, nacina, podgrzewa w żywym ogniu, aż wreszcie ze wszystkich szczelin krwawa maź, acha, myślę, to jest jeden z tych filmów w stylu *Pieski świat*, w którym przedstawiciele rasy żółtej dokonują eksperymentów kulinarnych na wpół żywych zwierzętach, i w rzeczy samej, bo człowiek ze snu wydobywa pokiereszowane kurczątko na powierzchnię, zanurza w głębokim tłuszczu, zalewa sojowym sosem i podaje na stół, przy stole ja, nawet pałaszuję, ale żarcie łka na widelcu i to jest nie do zniesienia, łapię we śnie pawia i wybudzam ze ściśniętym żołądkiem, na piersiach pot, dla uspokojenia jakiś trailer człowieku, ale łkania dalej za ścianą.

Z niechęcią człowieku to robisz, ale musisz to zrobić, bo w takich warunkach nie da się wypoczywać, mówię i wstaję, żeby coś z tym zrobić, bo musisz się wyspać, mówię, chyba środek nocy, może nawet środek dnia, więc mocny czaj i produkt stawia na nogi, robię się nawet głodny, w norze jedynie konserwy i przekąski, przydałaby się zieleninka, wypełzam, pół życia zabiera, by dotrzeć do skrytki na żarcie, no wreszcie, tu przykra niespodzianka, nie ma żarcia, w środku ona jak w celi, głowa zwieszona między ramionami, twarz ukryta w dłoniach, łka, w cieniu pan knurotaur, czyli gar, ciało poplamione dziarami, golden łańcuch, fiut jest jak zły pies na takich, jak ja.

Oszukał!, wykorzystał!, omamił!, a teraz nie mam gdzie głowy schronić, mówi, co jest kłamstwem, bo stajenka cała dla niej, może tam jeść i spać, w żłobie, bo to jest zresztą szopka, ciesz się brakiem, dziewczyno, bo z braku rodzą się rzeczy najwartościowsze, w nędzy się przecież urodził mesjasz!, taka jest prawda szopki, kto narusza te święte konstrukcyjne zasady, ten niegodny brać udziału w projekcie, więc jak się masz tam wypłakiwać, dziewczyno, lepiej opuść ten świat, mówię, na szczęście na tyle cicho.

Gar wchodzi w słowo, trzeba leszcza utrącić, mówi, a ona, że ja ją na pastwę losu, że nie ma nawet listwy z dostępem do kablówki, a to jest sama końcówka ciąży, więc mogłaby se przynajmniej zobaczyć co w telewizji, albo pobawić się w sieci, on wyjątkowo zgodny, nakręcają się oboje, coś z tego może być niedobrego człowieku, trzeba tu będzie zrobić zaporę z gipsu i tłuczonej butelki, i to szybko, bo z gównem nigdy nie wiadomo, kiedy zacznie przeciekać.

Wycofuję się cicho do strefy wewnętrznej, po drodze stawiam zapory ogniowe, smaruję klamki kałem, ale gnój nie czeka, musieli się już wcześniej zgadać, nie pieprzy się, padają ściany, jedna za drugą, już go nawet widzę, w łapach piła, masakra wisi w powietrzu, ostrza wchodzą w drewniane regały jak w masło, ale niespodzianka, bo nagle stal zgrzyta, iskry jak fajerwerki i łańcuch stępiony do cna, wśród tektury i staniolu wyrastają popiersia komunistycznych bonzów, brąz daje odpór nawet siekierze, gar, teraz go widzę przez peryskop, wyje jak zraniony, ale opada, rezygnuje, dochodzi do niego, że nie można.

Ciągnę faję jak wódz i dym wypełnia cały strych, ale po chwili dociera do mnie, że to nie mistyczna wizja, ale ktoś mi czymś zaczyna dymić, czyli jednak podpalili, cisnę na skrzydłach wiatru do systemu sterującego okna dachowe i odcinam dopływ powietrza, cugu nawet przy otwartych drzwiach brak, płomyki ognia, które pełzały już wśród zwałów pluszowych maskotek, wymierają, krztuszą się czarnym dymem, nie tędy droga, krzyczę, echo niesie głos korytarzami, gar z bezsilności wyrywa z klatki piersiowej kłęby czarnych kłaków, a może gazem?, mówi, a ona, widzę to jak w krzywym zwierciadle, stoi z boku jak trusia, cała rozmemłana jak margaryna, żebym cię więcej w swoim życiu nie widział, mówię i jest to słyszalne dobrze, ona jeszcze bardziej się kuli w sobie, gar odpala środki bojowe, gaz pieprzowy, może nawet czad i pompuje to w konstrukcję, próba rozwiązania ostatecznego, korytarze konstrukcji spowija siwa mgła, wychodzą na zewnątrz, ale ty tu masz kolekcję masek przeciwgazowych człowieku, tak że możecie mi naskoczyć, jak będzie trzeba, przetrwam tu nawet trzęsienie ziemi!, nagle drzwi się otwierają i wdziera się ten frajer od szopki, barowa ćma, ćpun-marzyciel, wdziera się i drze koparę, że odebrałem mu możliwość zaistnienia!

Gaz zwala go z nóg jak muchę, która nażarła się muchomora, ona otwiera drzwi, próbuje wytaskać, ale też pada, telepią nią drgawki, czyli zrobiła się z tego większa chryja, gar bierze ją wpół i troskliwie wynosi na zewnątrz, acha, czyli tak, widać jak na dłoni, szwagierfaker chce zająć twoje miejsce człowieku, ciepły, wygrzany tron, to jest ewidentne, może się nawet ze sobą kiedyś bodli?

Nieopisane szmaciarstwo cię otacza człowieku, upadek jakichkolwiek zasad, loguję się w norze, padam w leże, jak stoję, sen zabiera poza inną granicę, za którą nieopisane tłumy, są tu wszyscy!, cały naród!, sami najważniejsi!, celebryci, sportowcy, politycy, duchowni, artyści, inteligencja oraz ludzie prości, jest i sam ojciec narodu!, dziewczynki w strojach krakowskich składają kwiaty u stóp posągu, nagie modelki trachające kalifornikacyjnych pisarzy gibają się u wezgłowia jak arabskie księżniczki, misternie wyrzeźbiony sarkofag spoczywa na ułożonych warstwami podestach, ciało jest spreparowane jak spod igły, brał w tym udział najwybitniejszy spośród plastynatorów, trumna zostanie złożona do grobu i raz do roku rada najwyższych będzie mogła spotkać się z ciałem na osobności, oczywiście kwiaty są zmieniane codziennie, na szczycie tego zigguratu pomnik, ciało pisarza wskazujące kierunek, ze spiżowych ust wypływa pieśń, która nagle zamiera mi na ustach, wizja wielkiego pogrzebu ulatuje jak dusza, ktoś siedzi na piersiach jak zmora, usypią ci kopiec, mówi, ale w kształcie gówna!

Próbuję zrzucić ciężar, ale zero szans, to gar, na gębie makijaż typu grom, czyli komando, szybko otrzymuję pierwszą plombę, przemocą nie zmusisz mnie do mówienia, bo jestem chwastobójcą, bezlitosnym dla takich jak ty, mówię, ale dostaję drugą, trzecią i zaczynam się otwierać.

Weź przestań człowieku, mówię, wcale nie chciałem dręczyć tej dziewczyny, przecież to nie moja wina, że tak się to potoczyło, mówię, to są pewne mechanizmy ponad nami, nam się tylko wydaje, że jesteśmy panami losu, ale tak nie jest, mówię, ale to go najwyraźniej jebie, zaliczam po ryju, że aż trzeszczy.

Zachowywałem się jak fiut, ale to już przeszłość, to się nie wróci, w końcu stajenka prawie gotowa, powiedz jej, że może rodzić!, potem się znajdzie jakąś przyjemną dziurę w gratach, dla mamy i dzieciątka, tam są wewnątrz loftu naprawdę miłe fragmenty, plaże, jeziorka, wodospady, palmy, cytrusy, jest w czym wybierać, mówię i ledwie pluję pierwszym zębem, to zaraz tracę drugiego.

Zrozum mnie człowieku, dla niektórych protezą fiuta jest car, dla mnie była to sztuka człowieku, mówię do niego jak do człowieka, podkreślam tego *człowieka*, żeby się z nim utożsamił i odpuścił, bo tylko zwierzę może być tak wściekle bezduszne, on nawet nie mrugnie, zdejmuje spodnie, stawia wacka na sztorc, znaczy będzie cwelił!

Zaczynam się do niego autentycznie łasić, modlić, ty jesteś pierwszy wśród zastępów żołnierzy, mówię, niesamowity i nieokiełznany, spójrz na mnie – robaka, bo obiecuję, że od jutra nie będę palił i pił, więcej nie stanę okoniem i będę służył wiernie do końca swych dni, bo jesteś mym bogiem, jedynym panem, mówię, fiut bierze na wstrzymanie, nawet pewna wilgoć w oczach, kleszcze puszczają, nie ma co czekać, szarpnięcie, tu cię mam!, boska wizja pryska, gar traci równowagę, nanosekunda wystarcza, zrywam łańcuch objęć, jeden sprytny sus i nagły skręt jak zając, on biegnie, ale gubi się jak stary pies, może i zna ogólny rozkład korytarzy, ale nie wie, że codziennie zdarzają się aktualizacje mapy, więc zirytowany maksymalnie, tu miał skręcić w prawo, a jest mur dziecięcych rowerków, piłeczek, skręca w lewo, tu też głową w mur, zyskuję cenne sekundy, wpadamy do jakiejś pieczary, ściany porośnięte mchem, to nie mech, to pleśń, złe warunki do walki, tracę pozycję, ale paliwo rozpaczy i instynkt przetrwania, sklepienie jaskini nawisa plątaniną jelenich rogów, wdrapuję się jak spiderman, steryd się rzuca jak cep na młóckę, po ścianach nie wjedzie, bo to jest konstrukcja za delikatna na te chamskie łapy.

Narysuj se swastykę na czole, kutasie, albo sierp i młot, mówię prosto w pysk, jest wściekły jak knur, kłapie na tylnich nóżkach jak buldog z disneja, ale to jest walka z wiatrakami, obracam się i zawieszony dokładnie nad głową spluwam, obciera się na kurwie, nie zauważasz człowieku, ale bierze zamach, wielka szklana kula wypełniona jezusem, józefem, maryją i płatkami śniegu ląduje obok głowy, miażdżąc jakiś ludowy obraz, odpowiedź to lawina słojów, w których gryzie się żmijówka, duchy martwych gadów wgryzają się w gorące żyły, gar ryczy jak oparzony, wreszcie odstępuje.

Karkoproletariacki motłoch nigdy tu nie wejdzie, mówię, zatrzaskuję korytarz, odcinam śluzę za śluzą, za którymś z zakrętów zakopuję w stercie sztucznych róż, leż bez ruchu człowieku, leż, nasłuchuj, ale ni jedno szurnięcie, więc wracasz do siebie, wreszcie ulga, ale to nie jest jeszcze, widać, koniec sensacji, bo zaraz słychać wycie, daleko w dżungli obudził się głodny goryl, który próbuje dopaść banana, ale ja jestem mistrzem w donkey kong, więc bawimy się w kotka i myszkę przez jakiś czas, może dzień, nawet tydzień, zmęczony zabawą rezygnuje, pas, a ja wracam do nory, po drodze skrytka, w pudełku po butach puszki, sardynki, suszone kabanosy, zapasy, które zrobiłeś, czekając na wojnę nuklearną, zjesz to wszystko w norze człowieku.

Na miejscu niespodzianka, w norze na ścianach naskalne graffiti, baby niosące siatki, mężczyźni taszczący agiede, dzieci sprzedające organy, czyli wpieprzyli ci się do głowy człowieku!, kurwa, totalnie niehardkorowa sytuacja, ale na razie nic nie mówię, bo cała reszta wygląda okej, na posłaniu świeże, miękkie skórki, w powietrzu zapach kobiety, ze sterty wyłania się zaspana głowa, kto to?, jakby ona, ale w lepszej, świeższej wersji, pewnie młodsza siostra, dość, że pełna niezdrowego optymizmu, błyskają białe ząbki, ciało paruje radosnym napięciem jak żywe srebro, to jest ta dupeczka, lewicuszka, cóż za siurpryza!, mówię, masz ochotę?, sardynki i kabanosy lądują na stole, ona wyciąga racuszki.

Ja też uciekłam, nie mogłam dłużej wytrzymać!, mówi i śmieją się jej dołeczki w policzkach, świat dyrektyw i rozkazów!, nie rodzina, a firma, nie rodzice, ale wiceprezesi!
Tak, mówię, kompletna porażka, i zaczynam jej klarować, że też nie znoszę ograniczeń, wolność albo wolność, nie ma innej drogi, mówię, patrzy mi w oczy, jakby wreszcie znalazła bratnią duszę, więc sonduję, ej, stara, twoja siostra to fajna laska..
Ona?, nie rozśmieszaj mnie, była na tyle głupia, żeby zadawać się z kimś takim, mówi i patrzy wymownie, staję na baczność jak pies podczas polowania, ale ona mówi, że to żart..

To żart był, mówi, jest apetyczna jak miss mokrego podkoszulka i mokrych majtek i w ogóle wilgotnej odzieży, czyli zgrana z nas para, Mr Bluzg & Lewiciątko, razem powstrzymają tę szaloną rasę przed samozniszczeniem, albo pozwolimy jej umrzeć, by stać się protoplastami nowego, doskonalszego szczepu, nasze dzieci będą miały ciała z silikonu..

Okay, mówię, jesteś bardzo śmieszną dziewczyną, chyba lubię cię, i składam jej całusa na policzku jak śpiącej królewnie, ucieka, mam wrażenie, że robi to wbrew sobie, to tylko taka gra, zaczynam ją po prostu lizać, przytrzymuję za nadgarstki, nie uciekniesz, mówię, więc współpracuj i dopiero teraz odpowiada, angażuje całe ciało, wnika we mnie, bierze go w ręce, uciekam przed finałem i zapinam z drugiej strony, wypina tyłek jak gwiazda pornosów i wierzga nóżkami, to mnie buduje, prawie się w nią wgryzam, ciśnienie jest spore, jak zanurzenie w rowie mariańskim, batyskaf szopki pęka, jestem kurewsko blisko i nagle to się okazuje, że paść, udościsk, miażdży mnie jak zgniatacz, podnoszę wzrok, i teraz, w tym świetle, to nie jest wcale jakaś młoda dupa, ale trojan, uniwersal soldier, cyborg wcielony.

Leżę w obroży ud jak brojler, przed którym otwiera się wieczność, w rękach elektronicznego mordercy pompka, skrupulatne przygotowania do iniekcji, dwadzieścia mililitrów zatrutego mleka, nie piersi, ale wysadzane diamentami czaszki, temple of the doom, eliksir z toksycznych cycków podany w sam rdzeń, beret zryty dziwną chemią, przyspieszony skokowo puls, ciśnienie płynów, nabrzmiewam żylakami, białka czerwone jak twarz socjalizmu, ostry, przeszywający dźwięk, skronie pękają, zwijam się wpół jak nadepnięta jaszczurka, ból jak chuj, kasacja plików systemowych, jednego po drugim, gdzieś z oddali ostre światło prosto w twarz, buce po mnie idą!, to jakiś kosmos!, poród, kurwa, kleszczowy!

Wyjdź naprzeciw, krzyk jest tak donośny jak kazanie proboszcza..

Komu?, mówię.

Właśnie temu, pada odpowiedź, ale nic więcej, więc dzięki, stary, nie skorzystam, mówię, bo z pojebami nie ma co zaczynać, podejmuję próbę, rosomak nie podda się bez walki, oram ściany pazurami, opuszki palców pękają jak dojrzałe owoce, krwawiące ochłapy, to są deski nabite gwoździami miast ścian, metalowa tarka, czyli pułapka, nora napiera jak trumna, istny ruch robaczkowy, jak klin w zarośniętym pleśnią przełyku wielkiego gada, soki trawienne parzą łapy, kwas wżera się w twarz, ciśnienie rozsadza czaszkę, temperatura dusi, podane wcześniej toksyny konsekwentnie wymazują myśl o ucieczce, jestem jeszcze czegoś mgliście świadomy, nagle do ust przyssany otwór nibycipy, szeroki transfer obcej chemii, obręcz ud na czole, a lewicowy cyborg wycofuje się jak rak, może to był skorpion, okrzyk bólu więźnie w gardle.

Ty dziwko, mówię, sprzedałaś mnie i mam ją przez chwilę na wyciągnięcie dłoni, tę młodą dupeczkę, ale nagle jest harmider jak sam sukinsyn, chemiczny młot pneumatyczny, robią do mnie dwupasmówkę, stroboskopowe pchnięcia, lustra rozbijają się na gwiezdny pył, chluśnięcie jak zimną wodą z zatęchłego wiadra i rządy przejmuje niedemokratyczna chemia, tracę czucie w członkach, zabawka w ich rękach, ciągną korytarzem jak nieprzytomnego, wokół zasieki, druty, może to przejście graniczne, buksuję nogami w błocie, siłą mnie szmaty nie weźmiecie, ale jestem już na zewnątrz, światło wypala mózg, ktoś leje dechą po plerach, reszta krzyczy, ale nic nie powiem, chcielibyście, skurwysyny, nowej książki, ale dostaniecie fiuta!

Ale jest już za późno człowieku, to granica, bez dwóch zdań, jesteśmy w pojeździe, koleś w mundurze zwraca paszport, hej, żołnierze, nie widzicie, że to klasyczny kidnaping?, protestuję, ale z ust bulgot.
Fraer est naЕВany, ktoś rzuca w jakimś dialekcie i już jestem po drugiej stronie, tu nieprzyjemna niespodzianka, lincz.

Wśród napastników dyrektorka, na jakim autorskim spotkaniu jestem?, w jakiej norze?, założę się, że sam skraj kraju, opłotki, na sztachetach czaszki, czyżby sukces frekwencyjny?, gawiedź wynosi mnie na rękach jak wałęsę, wierność równość solidarność!, krzyczę, ale to są chyba taczki, na czym siedzę, a ludzie spluwają jak na krzyżowanego, ciżbę ogarnia chaos, stara kobieta uderza mnie trzonkiem w skroń, z drugiej strony obrywam łopatą i teraz naprawdę przeciągają mnie przez zwieracz percepcji, drę mordę jak umierający, umyka chyba świadomość, bo występuje duży przeskok.

Epilog

po którym coś przystawia mnie do wora, wycieka z tego biała ciecz, to cycek, pokarm nawet apetyczny, po prostu pełnowartościowa siara, ale wkrótce się kończy, więc klaruję, że za mało!, nikt nie zwraca uwagi, tu jest jakiś dramat w tym miejscu, fetor patologii, ludzie jak zmutowani, ciskają kurwami, więc zgłaszam protest, bo nawet na totalnym bezprawiu obowiązują jakieś zasady i każdy więzień, nawet polityczny, ma prawo do sytego posiłku, ale usta zostają sprytnie zamknięte plastikową bułą, to jest raczej srebrna lasotaśma, czyli biorę udział w teatrze ostatniego tchnienia, ale nie docieram nawet do końca pierwszego aktu, wkrótce zapadam do się jak w bagno.

W ciemnościach odzywają się odgłosy, bo ściany żyją własnym życiem, rzeczy zlewają się ze sobą, łączą w pary, parzą, to jest jeden wielki bulgot rui tu, wszystko się miksuje w jedną całość, pierwotna materia świata, pierwsze sekundy stworzenia, zarodek, nagle głośne pacnięcie, maligna oddaje mnie światłu.

Jakie brzydkie dziecko!, jeden trzeźwy głos, ale brak sił, by otworzyć jedno nawet oko, bagno zasysa jak wartka akcja, głosów na powierzchni coraz więcej, on mi się nawet nie podobał, mówi zirytowana panienka, na oko matka małej madzi, to był czysty przypadek, a potem zmusili mnie do tego, mówi i chyba na mnie patrzy, bo nagle ogarnia mnie wewnętrzne ciepło, choć może to mocz oddany między nogi, a ja chciałabym skończyć studia, chcę prowadzić normalne życie, mówi ten pulpecik o rysach zgorzkniałej madonny, jak znaleźć na to czas!, i chyba znów na mnie wskazuje, bo po raz drugi to ciepło między nogami.

Ale mimo wszystko na policzku ciepły worek cycka, ktoś otwiera drzwi, zawiasy piszczą jak drapieżne ptaki, błogostan zbezczeszczony frajerstwem, męski głos jak plwocina, co ty urodziłaś?, przecież to nie jest dziecko!, nie pokazuj mi tego na oczy, i to jest nauczka, żeby na przyszłość nie rozstawać się z gumami, fagas ciągnie w tym guście, nie mam nawet czasu, żeby zarejestrować słowotok i przekonwertować to na ludzką mowę, bo otchłań błota wciąga w objęcia, usta zatkane gumową pałubą, śnią się sny, w których szczerze żałuję, że wszystkie zdrady, podchody, podkładanie nóg, łamanie kręgosłupów, plugawienie i obszczywanie wartości, generalnie z chamstwem przez świat, świnia, burak, a nawet cwel, ale nagle i to się kończy i nachodzi całkowite odpuszczenie, olśnienie i refleksja, że piękny jest świat, a my musimy śpiewać hymny pochwalne na cześć stworzyciela, a także tej kobietki, która mnie zaprosiła do kręgu tu znajomych.

Gdzieś jedziemy?, mówię, bo widzę, że gdzieś jedziemy, ale udają, że są problemy z translacją, pozostaje ufać, że kierunek

centrum handlowe, po odciągarkę pokarmu, ale pojazd skręca
w średnio oświetlone zaułki, stajemy pośrodku, nigdzie, po
prostu szczera ulica, beton skleja się z fasadami parszywych
domeczków, jednopiętrowe potworniaki, nieocieplony pustak,
koszyk ląduje na chodniku, płyty wybrzuszone jak zrogowa-
ciałe łuski gada, nad głową kosmos, ustawka gwiazd w letniej
nocnej cieczy, koszyk, w którym tkwię, zanurza się w wodzie,
to chyba będzie jakiś spływ kajakowy, ale jednak nie, nurt
wody ciągnie mnie w noc, i nagle zapalają się światła i nie
jest to rzeka, ale akwarium, szklane ściany porośnięte glonami,
tylko ryby brak, mechanizm porusza szybę z drugiej strony,
ona otwiera się jak portal i już obłok światła, wychowamy cię
na sługę bożego, rozlega się stanowczy głos jak przeznaczenie,
nie wiem, kim jest bóg i nie chcę mu służyć, ale głos morzy,
więc na samym końcu, tuż przed zatonięciem, prawie jak ten
szkocki fircyk, którego grał gibson w brejwha!art, krzyczę, że
jeszcze zobaczą!, nadejdzie czas i stanę do pionu, by wyciągnąć
plemię z niewoli za własne włosy.

Spis treści

SERIA PROZATORSKA
pod redakcją Piotra Mareckiego